小学生実用BOOKS
5分でわかる
片づけ術
JN002000
さぁ！
きれいで気持ちいい毎日が
キミを待っているよ！
監修
南 美佳
（整理収納アドバイザー）
監修・マンガ
阿部川キネコ
（整理収納アドバイザー）
Gakken

はじめに

学校の勉強以外の悩みって、ない？

「忘れ物が多い…」
「すぐに物をなくしちゃう…」
「さがし物をしてて遅刻しちゃった！」
なんて経験はない？

「…でも、そんなの、直せないよ～」と
あきらめないで。
もう、物をなくさない、さがさない、
そんなステキな生活がキミを待っている！

そのためにマスターしたいのが「片づけ術」！
この本は、そんな勉強以外の悩みのお助け本だよ。

教えてくれるのは、にゃんころたち。
ちらかった部屋を前に
「手も足も出ない」キミのために
専門家の先生までも
にゃんころになって
おもしろく教えてくれるよ。

キレイになったら、気持ちがいいよね。
忘れ物も、なくし物もなくなったら、
きっと毎日ワクワクすごせるね。

キミが笑顔で毎日を送るために
ちょっとだけ、猫の手ならぬ
猫の知恵を貸してあげる！

ちなみにぼくたちは
『微笑問題』というお笑い芸猫コンビの
「ジョー」と「トール」だ。
いつもはテレビのお笑い番組で
漫才をしているけど、
本当の職業は大学の先生なんだよ。

悩めるキミたちに笑ってもらおうと、
日夜、ワクワクとニコニコの研究をしている。
そして笑顔を届けるために、
全国をまわって特別授業中。それがこの本だ。

さあ、授業を始めよう！

キーンコーン

カーンコーン♪

片づけの法則

1 全部だす

私が教えます！
さっそく授業内容
です！

片づけスペシャリスト
キネコ先生

2 わける　3 しまう

「片(かた)づけ」とは
この「全(ぜん)だわし」を
くり返(かえ)す！ これだけ!!

くわしくは2章(しょう)を見(み)てね

もくじ

本書の登場人物にゃんころの解説

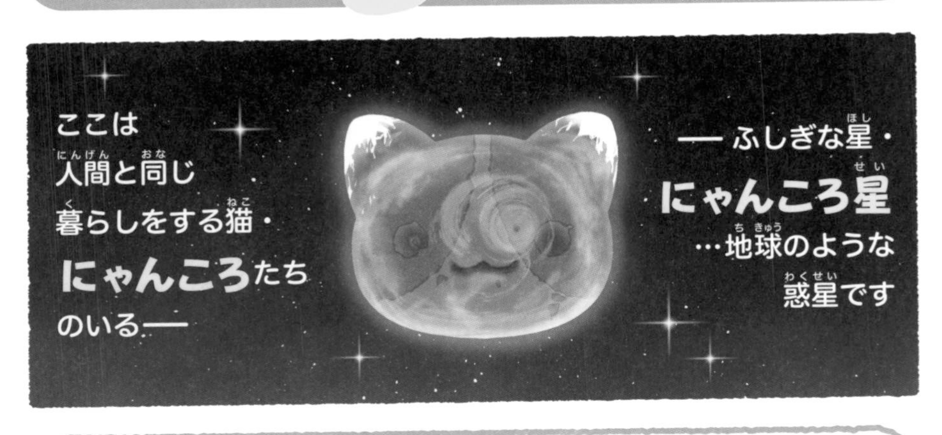

この星の猫・にゃんころたちは、しっぽが器用で
手足の代わりにしっぽでなんでもできるので

こ～んな姿をしています！

でも、今この本を読んでいる人間のキミには、
にゃんころたちの言動を、より身近に
自分のことのように感じてほしいので、
ときどき「擬人化モード」に
切り替えてお届けいたします。

猫になったり　人間になったりしますが

本当の姿は**猫**なんです。でもね、ご心配なく！

色と姿で、だれがだれだか、すぐにわかりますよ。

キャラクター紹介

みけたち家族と、みけのクラスメイト、先生を紹介。
几帳面さん、ズボラさん、物が多いオタクさん…キミに似た子はいる?

みけ

強くて元気な小4の女の子。習い事の柔道は全国大会で優勝するほどの実力。

クッキー

「ノー」が言えないやさしく気弱な男の子。おかし作りが大好き。みけの弟。

とら

みつごの一番上。やんちゃな食いしん坊。にゃんころこども園の年長さん。

ニケ

みつごの2番め。背中に羽のような模様がある。にゃんころこども園の年長さん。

いちごミルク

みつごの3番め。幽霊やUFO、普通は見えないものが見えるふしぎちゃん。にゃんころこども園の年長さん。

4年しっぽ組のクラスメイト

たまちゃん
心やさしい女の子。しっかり者。みけの親友。

おシャムくん
ハンサムなモテモテ男子。趣味はバイオリン。

papa

みけファミリー

お父さん
職業は大工さん。三度の飯より祭り好き。屋根の上など高い所と、和風な暮らしが好き。外ではきびきび働くが、家ではママ任せで家事をしなかった。ママの復職で自分も家事をやらねばと思ってはいるが…。

めがねこちゃん
読書と歴史が大好きなめがね少女。推しの武将は「伊達まさむにゃ」。まさむにゃグッズを集めている。マンガ好きで描くのも得意。

おわらいくん
大阪大好き&阪神タイガースファン。将来、お笑い芸猫になりたい。コンビを組む相方を探している。

mama

ママ
やさしくのんびりや。お料理上手だけれど、片づけはニガテ。最近復職したので、忙しく、家がちらかりがちなのがお悩み。子どもたちも大きくなってきたので自分で片づけてほしいと思っている。

クローバーちゃん
お花屋さんの娘で花ことばや花うらないに詳しい。内気な女の子。

J1（本名 ぶち）
サッカー大好き男子で運動は得意だが勉強はニガテ。本名の「ぶち」がキライでJ1と呼ばれたがっている。

4年しっぽ組のクラスメイト

モカちゃん

家がカフェで、父はバリスタ(コーヒーをいれるプロ)。皮肉な一言が多い。

まなぶくん

クラスで一番勉強ができる。学級委員。特に理数系が得意な理系男子。パソコンも得意。運動はニガテ。

にゃんぺい

おじいちゃんと2匹暮らし。おじいちゃんは漁師で、にゃんぺいも釣りの天才。一匹狼で男子に尊敬されている。

担任

にゃん子先生

4年しっぽ組の担任の先生。趣味は読書と創作料理。しっぽ組の子たちに惜しみなく愛を注ぐ。

Special Teachers

キネコ先生

本書のマンガやイラストを執筆するマンガ家の阿部川キネコ先生。片づけのプロ・整理収納アドバイザーとして、片づけのニガテなみけたちにアドバイスをしてくれる、たのもしい存在。どうやらママの昔からの友だちらしい。

ジョー

トールとコンビを組み『微笑問題』として活躍、にゃんころ星の人気番組『N-1グランプリ』で優勝した実力派お笑い芸猫。ワクワクする気持ちを伝えるため、全国の学校に出張授業をする先生も兼務。

トール

『微笑問題』としてジョーとコンビを組み、テレビにもよく出る有名お笑い芸猫。笑顔の効果を伝えるため、全国の学校に出張授業をする先生を兼務。ジョーとともにいろいろ教えてくれるよ。

1章

どうして片づけないといけないの？

ちらかった机も カバンも気にしない そんなみけにピンチが！

みんなを待たせちゃうから
先にたまちゃんち行くね　みけ
新聞作りの集まりに
持っていくメモ帳が
見つからない～!!
ママ
今日は仕事
休みだっけ？
そうよっ
なんで
ーっ!?

あったー!

出し忘れてた
でしょ!?
今日までに返事しなきゃ
いけなかったのに!!
クラブの
ユニフォームの
申し込み
たしかここに～～
どうされ
ますか？
すいませんっ

ランドセルの中って…
ゴチャ～～ッ
う～

ピュー
ごめんママ
プリントはたぶん
ランドセルの中！
ちょっと
みけ!!

帰ってきたら
お説教よ～っ!!
み～
け～っ
ゴゴゴ…
プリントも
グシャア

今日は
シュンと
するまで
お説教よ
ただいまあ…
おかえりなさ…

ちょっと クッキー
たまちゃんちで
何があったの？
次の
ページ
みて…
それが…
もうシュンと
してる!?
はやっ
しゅ～ん

記事の資料は
たまちゃんが
持ってるよね
資料
新聞係
スッ
うん
これだよ
えっ
すぐ
出た!?

始めた
ばかりだよ
おくれて
ごめんね
ハァ
ハァ
も～
おシャムくん
やさしい～♡

あった!
え～とねぇ…て
まっしろ～

みけちゃん　この前
先生に取材した時の
メモは持ってきた?

おシャムくんに
いいとこ
見せなきゃ
もちろんよ!!
ちょっと待って
あれっ
どこかな
ポイ
ポイ

似たメモ帳を
まちがえて
持ってきた
――――――っ!!
ガーーーン!!
メモった
メモ帳
MEMO
MEMO

――――と
いうわけなんだ
しかもね!!
次号の新聞作りは
うちに集まることに
なっちゃったの!!
フウ…
おシャムくんに
あのあたしの部屋
を見られちゃう!!
あの部屋
グチャア
どうやってキレイに片づけたら
いいの~~~~~~っ!?

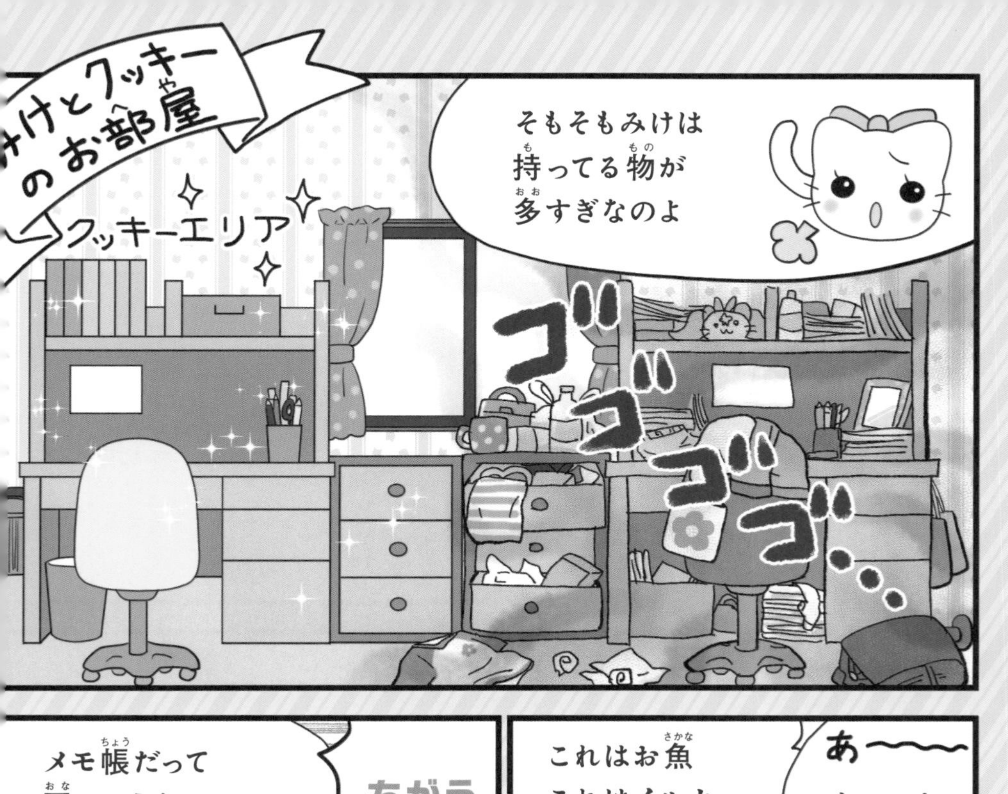
みけとクッキーのお部屋
クッキーエリア
そもそもみけは持ってる物が多すぎなのよ
ゴゴゴゴ…

あ〜〜〜わかったわかった
これはお魚これはイルカ色だってちがうし全部かわいいし

ちがうもん！
メモ帳だって同じようなのいっぱいあるからまちがえたんでしょ

みてよ
でもお〜
ガタッ
持っててもいいけどあちこちちらかさないでちゃんとしまえばいいでしょ!!

引き出しは
パンパンで
もう入らないん
だもん
ぐっちゃ～～～

でも
この引き出しの中の物は
全部いるモノなの？　みけ
グチャグチャのプリントとか
入ってるけど
え～？　そういえば
何が入ってたかな

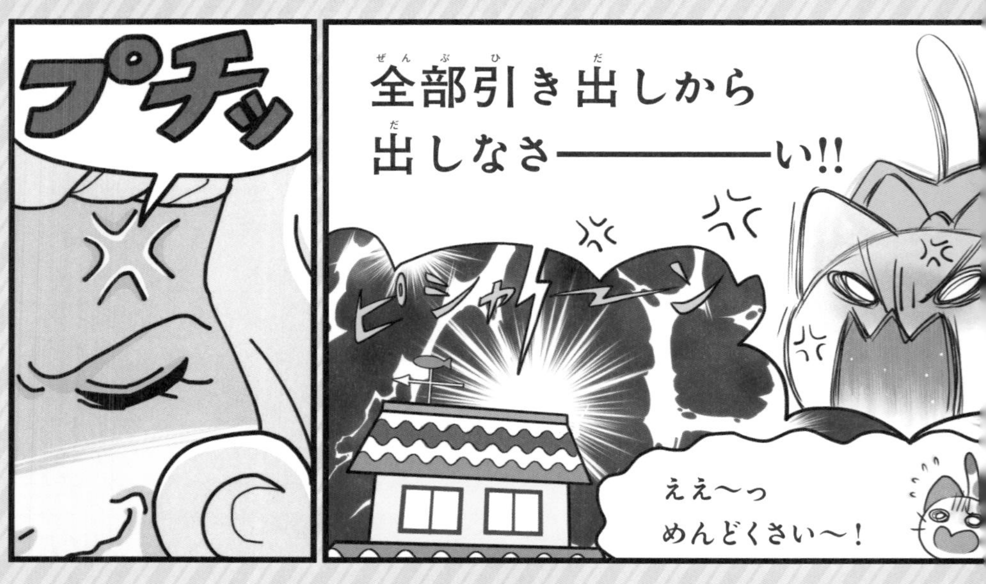
プチッ
全部引き出しから
出しなさ―――――い!!
ピシャ
ええ～っ
めんどくさい～！

このさい
クッキーの机を
あたしの机って
ことにしたら
よくない？
名案!!みたいに言わないで
よく
ないね

はあ…
もう私には
お手上げだわ
よよよ…
かくなる
うえは…
スチャッ

もしもし？
あキネコ先生？
ごぶさたしておりますぅ
あの～　実はまた
お知恵をお借りしたく…
え？　たまたま
うちの近くに!?
すぐ来られる？
ぜひお願いします！
ピ・ポーン

おじゃま
しま～す!!
こんにちは！
阿部川キネコです♪
なんか
きた!!
プロを呼んだわ♡
昔よくお世話に
なったの
キネコ先生
整理収納アドバイザー兼マンガ家

片づけのことで
お悩みかしら？
は　はい…
もうどこから
手をつけて
いいか
わかんなくて
なんだろう
あのタワシ…
うんうん
そうよね～
でも　大丈夫！
片づけの法則はシンプル！
「全だわし」を
くり返すだけだから！
全だわし？
なに そのタワシ！

2章に続く——…☆

考えてみよう！

Q きれいな部屋の人は どんなことをしているのかな？

やりっぱなしにしない

机の上はいつもスッキリ！

物の片づけ場所が決まっている

こまめにそうじ

考えてみよう！

Q ちらかっている部屋の人は

どんなことをしているのかな？

出しっぱなし・ぬぎっぱなし

机の上は物でいっぱい

物がごちゃまぜ。片づけ場所は気分次第

ごみやほこりは見て見ぬふり…

「片づけ」をすると、こんなに

Before（ビフォー）

HAPPY♥

After（アフター）

「片づけ」をすると、こんなに

1 時間の節約

Before（ビフォー）

2 お金の節約

Before（ビフォー）

3 やる気がアップ

Before（ビフォー）

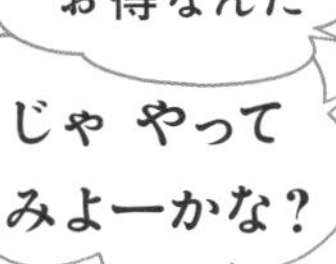

After（アフター）

何がどこにあるのかわかっているから、物をさがす時間がへる。

After（アフター）

物のある・なしや数がわかっているから、ムダな物を買わなくなる。

After（アフター）

スッキリしていると、すぐに取りかかれるので、やる気も出る。

部屋の片づけがニガテな人チェックリスト

部屋の片づけがニガテだという人には、共通点があるよ。
下の項目がニガテな人の特徴。キミに当てはまる □ に ✔ をつけよう。

- □ めんどうなことを後回しにする
- □ 捨てるのがニガテ
- □ 捨てるのがもったいないと思っている
- □ 一気に片づけようとする
- □ 自分につごうのいい言いわけをよくする
- □ 物をすぐにためる
- □ てきとうにしまいこむ
- □ 何がどこにあるかわからない

キミは、いくつ当てはまったかな？　3つ以上当てはまったら要注意！　中でも大事なのは最初の項目。片づけることを後回しにしない習慣をつけるよう、意識してみてね。

2章

片づけの法則「全だわし」を徹底解説！

こっちは
にゃんころ
バージョン
の私♡
改めまして
私は
片づけをお手伝いする
整理収納アドバイザーの
阿部川キネコです
よろしくね♡
マンガも
描けるよ！

ジャマな物はどけちゃえば
片づくでしょ？
ザッ
ホラッ
広くなった
足で…
どんな
ふうって
…
みけちゃんは
今まで
どんなふうに
片づけてたの？
ハラハラ
えーっとね

あの山のどこかに
あるのは確実です!!
やま
山
こんもり…
なるほど〜〜〜
じゃあ　みけちゃん
柔道着出してみて？
ゴゴゴ…
キネコ先生がたえてる…
ピクピク

ごらんのように
片づけがヘタで
困ってるんです
からだが
ホカホカに
なったわ…
アレは、
けんこう
タワシ？

さがさないと見つからない
のは　片づいているとは
言えませ〜〜〜〜〜〜〜〜ん!!
ゴシゴシゴシ〜〜
ああああああああっ
血行が良くなっちゃう〜っ！
ではママさん!!
お手本を見せて
くれますか？
ギラッ
ビクッ
はっはい！

はいっ
片づけました!!
きちーーん

たしかにキレイに
並べられましたね
ほほう
ディスプレイ
するのは
けっこう得意
なんです♡
ホッ
ウフフ
でも!!

これでは
片づけとは
言えませんね
みけママさん!!
フッフッフ…
ビッ
ええ〜〜〜〜〜!?
片づけって一体…!?

「整理・整とん」と「片づけ」の

整理

＝

いる物といらない物に分けること

整とん

＝

整えてきれいに並べること

▲ただ立てて並べたら本の種類がバラバラでも整とん完了。

目指すのは「片づけ」です!!

ちがい

片づけ
||
分けてしまうこと

いる物といらない物に分けて、さらに、
いる物に置き場所（物の住所）を決めて、しまう
までが「片づけ」。

復習 「片づけの法則」は、
「全だわし」

⓪ ルール を決める ← 注目!!

1 全部だす
2 わける
3 しまう

くり返し

実は
1「全部だす」の前に
⓪「ルールを決める」
がホントは
あるのです！

片づけのやり方は
前のページと
6〜7ページでも見た
「全だわし」！
それじゃあ
「全だわし」の1！
「全部だす」から
いきまーす!!
まったーーっ!!
なぞのダンボール
ガッ
めっちゃ
とくいーっ!!

0を無視しないで!!
まだルールを決めてない
でしょ!?
前ページにもどって!!
なぞのダンボール
たし
たし
ルール？
出したら
分ければ
いいんで
しょ？
ん〜〜〜っ
みけちゃんは
どう分ける
つもりなの？
え？
なぞ
どう…？
何も考えて
なかった顔…

まず
ルールを決めてから
「全だわし」をしないと
ただちらかるだけで
終わっちゃいます!!
ルールの決め方は
今から説明しま〜す
カンタンよ♡
ステイ
ステイ!!
え〜〜っ
早く
出したい
〜〜っ！
GO!!

0 ルールの決め方

1 仕分けルールを作る

必要な物は何？ どれくらいの数が必要？

今使っているかどうかで決めていこう！

たとえばえんぴつなら

Q えんぴつって必要な物？

→ YES →

Q では、何本くらいあればいい？

6本くらい？ 6時間授業だから。

→ 仕分けルール 7本以上はストック品として、しまっておこう！

たとえばおもちゃ消しゴムなら

Q おもちゃ消しゴムって、必要な物？

→ NO

「もう遊ばないなあ」

→ 仕分けルール もったいないけどさよならしよう！

ルールの決定は、最初でなくても、分けながら決めていってもいいよ！

2 物の住所（＝置き場所）を決める

★ 目的別に物を置く

【例】

机まわりには勉強に関する物を置く。

 種類別に決める

遊ぶ物はおもちゃ箱に。

本はジャンルごとに置き場所を決めて本棚へ。

 どのくらい使うかで決める

よく使う物は出しやすいところに。

あまり使わない物は上の方に。

3 「ちょい置き」しない

「ちょい置き」すると、“そこに物がある”という状態が当たり前になってしまって、どんどん物がちらかっていくので、床や机に「ちょい置き」するのは絶対やめよう。

4 使ったら、必ず元の決めた場所に戻すこと

“これはNG(エヌジー)(ダメ)!”

1 入れ物(収納グッズ)を先に買ってはダメ!

2 おうちの人は、子どもが決めたルールに口出しするのはダメ!

やりがち注意ポイント

3
急いでいる時や、あせっている時に、片づけるのはダメ!
ツリ入門
伝記ベートーベン
あと10分でバイオリンのレッスンにいかないと
バサバサッ
がくふよ
参考書
モーツァルトの世界
こんなおシャムくんいや〜
4
三日坊主はダメ!
1日限りの「祭り」にしないで少しずつでも続けよう
使ったモノを元にもどさぬ悪い子はいねが――っ!?
キネコ先生!?
バーン
ヒッ
ハリセン
よし!!
ニコッ
うらない
つづけてます…
園芸

1 全部だす …ただし、せまいところから順にネ！

「だす」と決めたら、全部出す！

せまいエリアを決めてその1か所の物を全部出す。

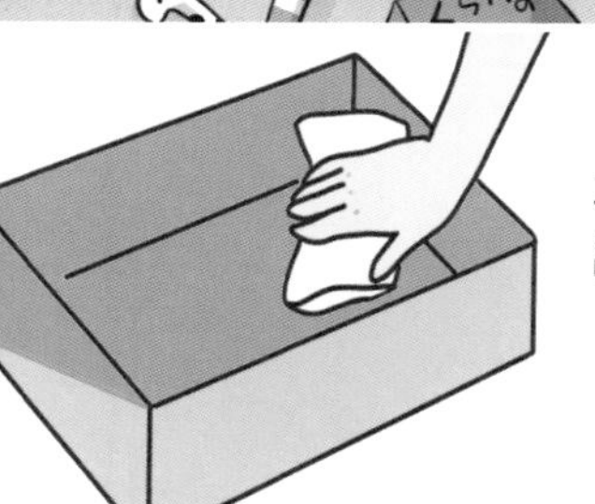

カラになった入れ物は、中をきれいにふこう。

全部を一気にやると片づけがとちゅうになるし、大変だから、「今日はココ」「明日はココ」とせまい範囲で片づけるところを決めて、少しずつやるといいよ！

2 わける …片づけの山場！「今」を基準に!!

2 わける

コレが一番
頭を使います！

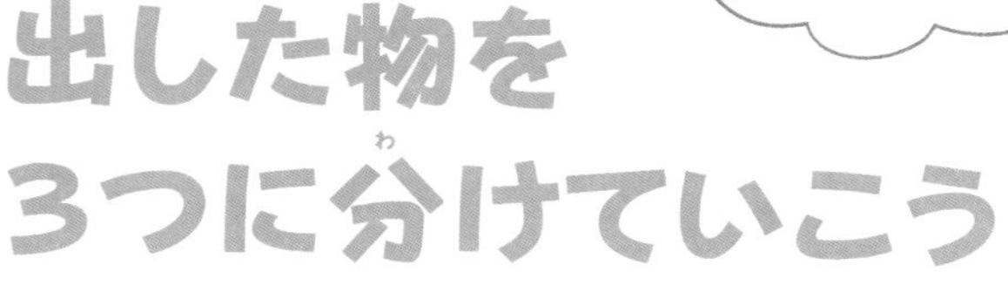

出した物を3つに分けていこう

① 必要な物

ふだん使っている物や、ないと困る物。思い出の品や趣味の物など、自分にとって必要な物だよ。置く場所が決まっていない物は「一時置き品」として「必要な物」に分類しよう。

② 保留品

いるかいらないか、まよう物は「保留品」として別に分けておこう。

③ いらない物

もう使っていない物など、①、②以外の物は、いらない物としてさよならしよう。

種類別に紙袋を用意して、必要な物をそれぞれ種類ごとに袋に入れていくといいよ。保留品も専用BOXを用意しておきましょう。

わけるを上手にやるコツ

① 仕分けルールをしっかり作っておく

一つひとつの物についてどのくらいの数・量を持つか、自分流の仕分けルールがしっかりできていれば、その通りに分けるだけ(詳しくは37ページを)。

② まよった時は「今、必要か?」で考える

必要な物か、そうでない物か、それとも保留品にしておくのか。分けるのにまよった時は、「今、自分にとって必要かどうか」で考えよう。

物にはみんなストーリーがあります

①いつ?
②だれが?
③用途は?

「なんでここにあるのか?」を考えると ①必要な物 ②保留品 ③いらない物のどれになるのか、わかるはずです。

「今、使わないな~」と思った物は、ごみ箱か、いらない物袋へ…。

「いつか」使う?
その「いつか」は
やってきません。

3 しまう …あえて出しにくいところへしまう物とは？

※「ゴールデンゾーン」については50ページを見てね。

3 しまう

分けた必要な物を、紙袋ごとに決めた場所に入れていこう

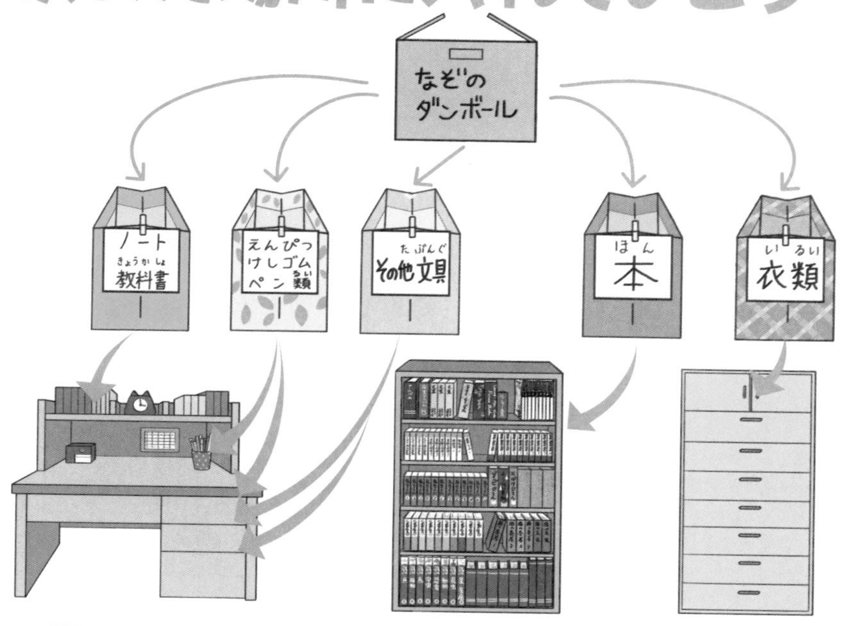

宝物や趣味の物は専用箱へ

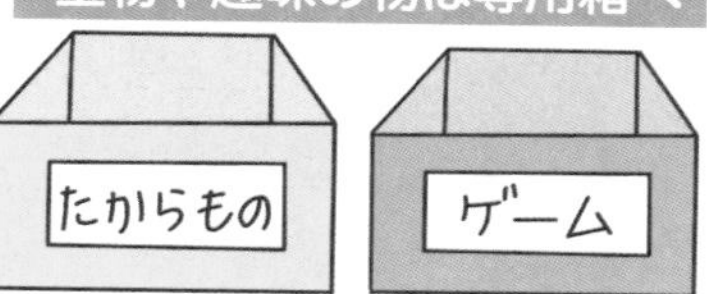

たくさんある物はストック入れへ

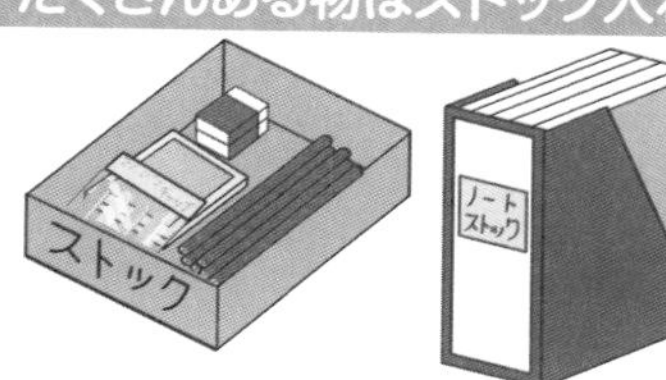

保留品は、保留BOXへ！

箱はどこに置くのか、置き場所も考えてね。

期限を決めてその期限が来たら見直す。

よく使う物ほど出しやすく、しまいやすい場所に！

ゴールデンゾーンにしまおう

物をしまう場所

1位 腰〜肩までの高さ

2位 肩〜上
背のびして届く
くらいの高さ

3位 腰〜下
しゃがんで取り出す
くらいの高さ

4位 ふみ台にのぼって
届くくらいの
高いところ

引き出しの中にしまう場所

1位 手前

2位 奥

3位 パッと見て
見えない場所

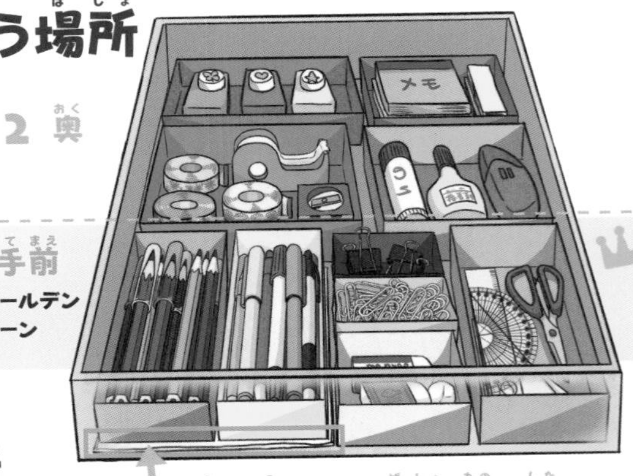

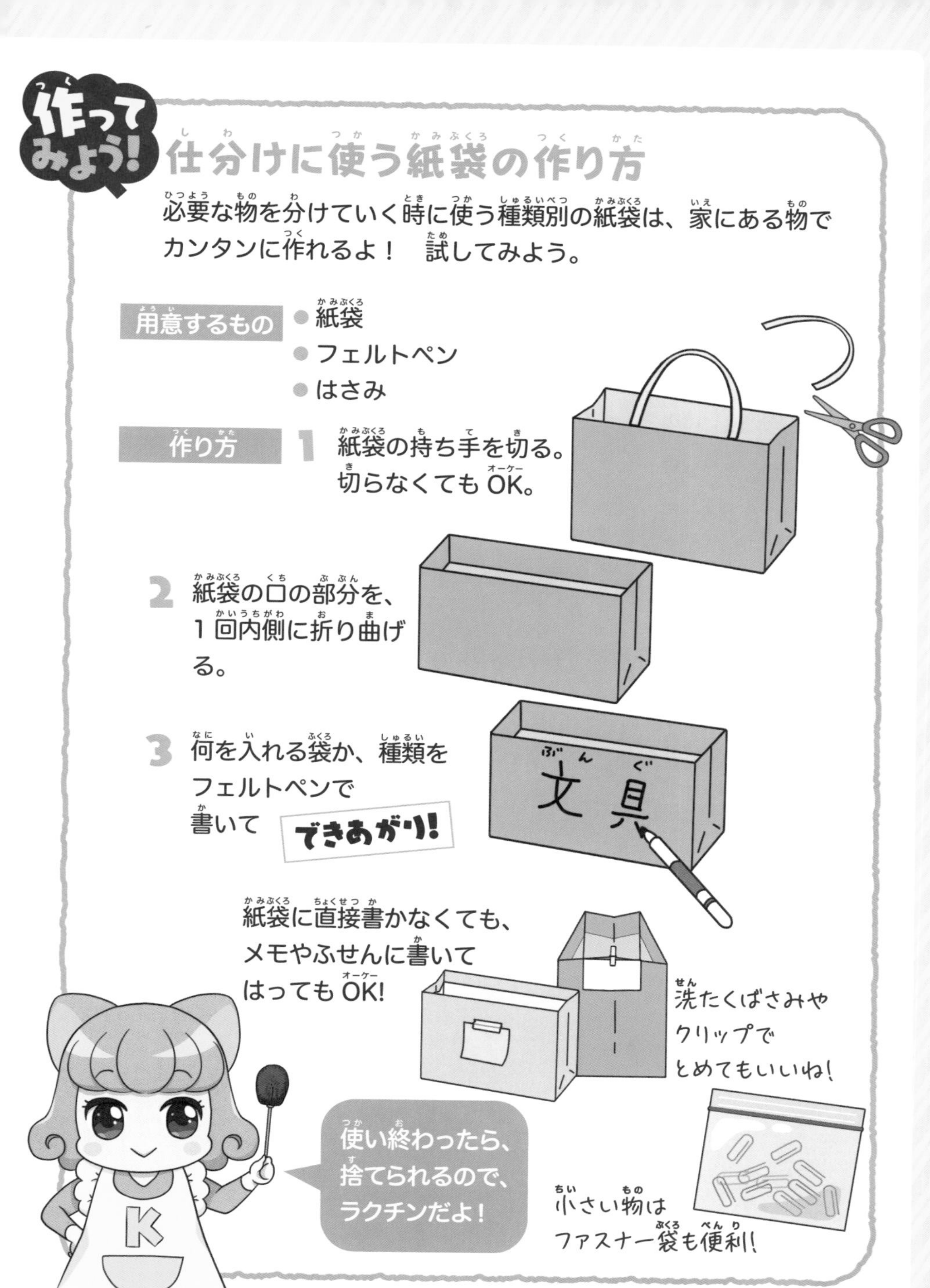

作ってみよう！

仕分けに使う紙袋の作り方

必要な物を分けていく時に使う種類別の紙袋は、家にある物でカンタンに作れるよ！　試してみよう。

用意するもの

- 紙袋
- フェルトペン
- はさみ

作り方

1 紙袋の持ち手を切る。切らなくてもOK。

2 紙袋の口の部分を、1回内側に折り曲げる。

3 何を入れる袋か、種類をフェルトペンで書いて できあがり！

紙袋に直接書かなくても、メモやふせんに書いてはってもOK!

“ハ〜イ、スマイル〜”

「いらない物」との さよならの仕方

残念ながら、「いらない物」となった物たちには、さよならをしていこう。こんなお別れの仕方があるよ。

1 あげる

小さくなった服や読まなくなった本などは、ほしい人がいるかもしれないよ

2 売る

必ずおうちの人といっしょにやってね。

リサイクルショップ

フリーマーケット・学校などのバザー

3 捨てる

人にあげたり売ったりできない物は、これまで使ってきたことに感謝して、捨てよう

捨てる時は、ちゃんと分別してね

- 燃えるごみ
- 燃えないごみ
- 資源ごみ
- その他

※住んでいる地域によって、「燃える」「燃えない」「資源」など分別の仕方がちがうので、おうちの人とルールを確認しながら分別してね。

やってみよう！
仕分けにチャレンジ！
必要な物を、❶ふだんから使っている物＆ないと困る物　❷宝物や思い出の品　❸ストック品（足りなくなったら出す物）　❹めったに使わない物　に分けてみよう。自分なりの答えでOKだよ。それぞれの物の□に❶～❹の番号を書いてね。
□ グローブ
□ まくら
□ おみやげでもらったキーホルダー
□ ノート
NOTEBOOK
□ 写真立て
算数4上
□ 教科書
□ 消しゴム
□ ハンカチ
□ ゲーム機
□ レターセット
※分け方は人によって異なるので答えはありません。

捨てたくないのはだれ？→親の場合は「親の宝箱」へ！

※親の部屋で管理しましょう

3章

キミが片づけに挑戦！まずは小さなふで箱&ランドセルからやってみよう

ここからはキミがやる番！キミのふで箱を用意してね

よく言ったわ
みけちゃん！
読者のみんなに
お手本を
見せてあげて！
エライ!!
えっ!?
あたしが!?
しまった!!
ヤブヘビ

えっとじゃあ
全だわしの「全だ」
からなので
あなたの部屋の
なぞのダンボール箱を
ご用意いただいて…
読者の部屋に
なぞのダンボール箱が
ある前提で
話を進めないで！
なぞ

片づけ初心者の心得！
まずはせまい範囲から
始めること！
バーン
そうでした〜

それじゃあ
みけちゃんといっしょに
まずはふで箱から
片づけにチャレンジ
してみよう！
おまかせ
あれ〜！

やってみよう！ ふで箱の

ふで箱に入れる物は何？ルールを決めよう

1 ふで箱に入れる物は？

→ 学校の授業で使う文具

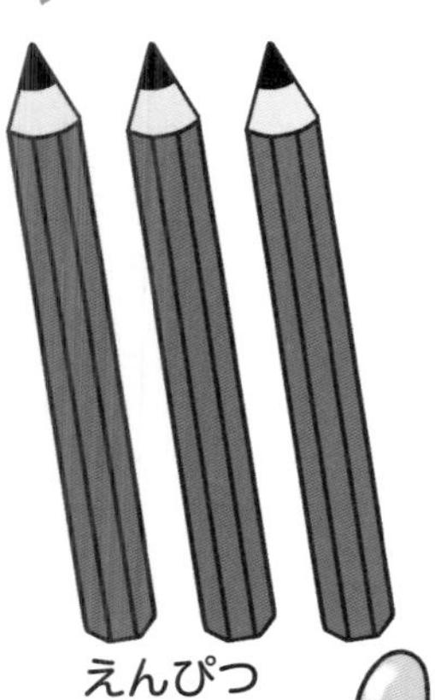

えんぴつ

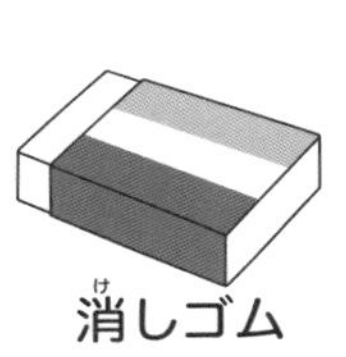

消しゴム

じょうぎ

赤えんぴつ

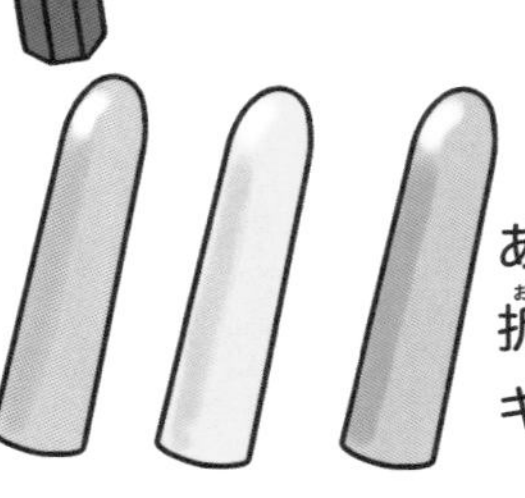

あと、えんぴつのしんが折れないよう、えんぴつキャップもいるかな？

2 入れる数はどのくらい？

6時間授業の日もあるので、えんぴつは6本？

消しゴムは1こでいいか。

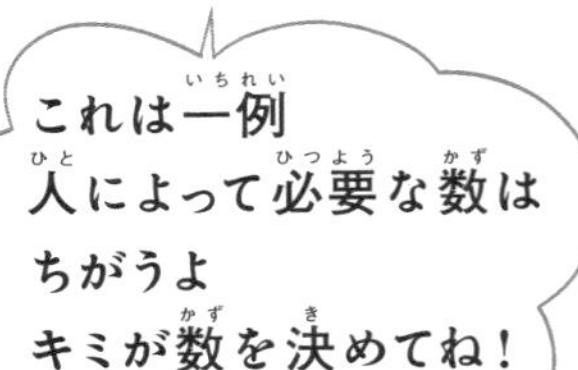

片づけ

【ふで箱に入れる物】ルールリスト

入れる物	入れる数
えんぴつ	本
消しゴム	こ

キミは、ふで箱に何をどのくらい入れる？　上のリストに入れる物と数を書き入れてみよう。

やってみよう！ ふで箱の片づけ

仕分けにチャレンジ！ ＜ふで箱＞

ぐちゃぐちゃのみけのふで箱の中身を見て、❶～❸に分けてみよう。ふで箱に入れるのは❶だけだよ。
それぞれの物の□に番号を書いてね。

❶ ふで箱に入れる物
❷ 保留品
❸ 捨てる物

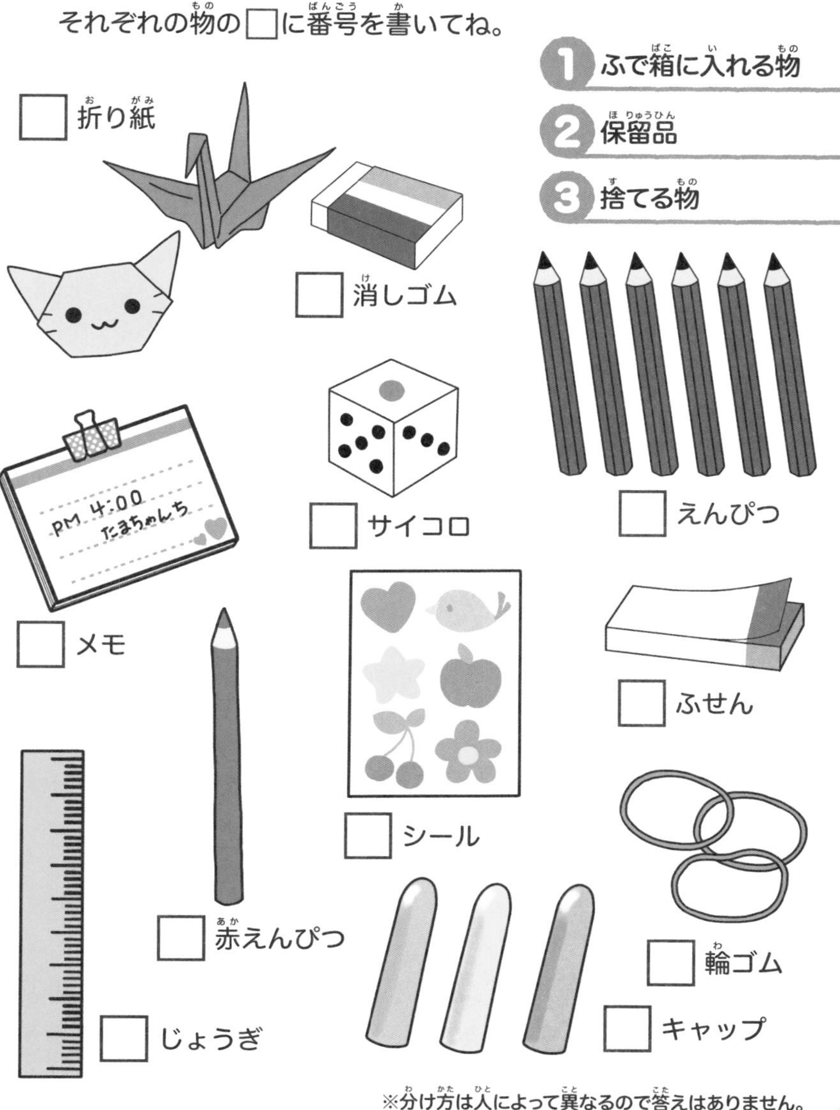

※分け方は人によって異なるので答えはありません。

やってみよう！ ランドセルの

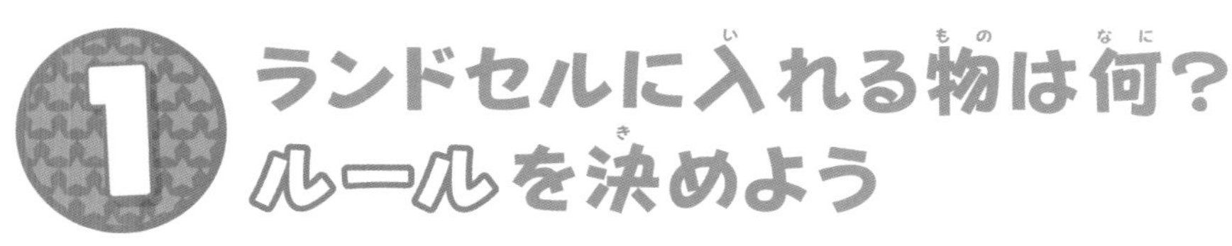

1 ランドセルに入れる物は何？ルールを決めよう

1 ランドセルに入れる物は？

→ 学校で必要な物

2 その日の時間割によって、持ち物が変わります。各教科で持っていく物をルール化しよう。

片づけ

【教科別・持ち物】ルールリスト

教科	持ち物
国語	例）教科書・ノート
算数	
理科	
社会	
音楽	
図工	
体育	
道徳	

やってみよう！

教科によって持っていく物が変わるので、上のリストに教科ごとに持ち物を書き入れてみよう。

2 全部だす

わける

授業で使った物

おうちの人にわたすプリント類

使ったハンカチや洗たくする物

しまう

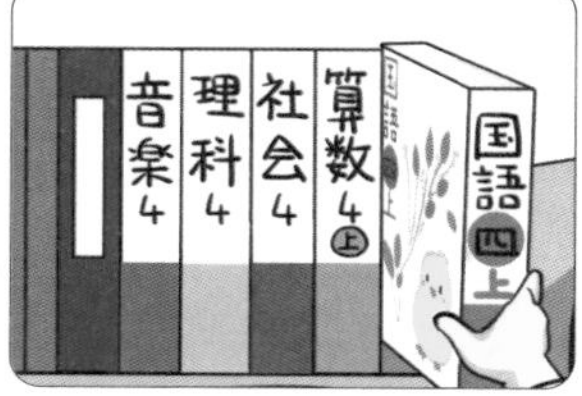

ランドセルに入れた物は元の場所に戻そう。

プリント類はおうちの人へ。

カラになったランドセルはふこう。

※ふくのは、週1〜2度くらいでもOKだよ。

明日の持ち物を用意して、ランドセルに入れる

仕分けにチャレンジ！ <ランドセル>

ごちゃごちゃのランドセルの中身を、❶～❺に分けてみよう。
それぞれ□に番号を書いてね。自分なりの答えでOKだよ。

※分け方は人によって異なるので答えはありません。

ふで箱チェック「1週間やったよ」カレンダー

できた日には○を書いてね。

月	火	水	木	金	土	日
						／

毎日ふで箱の中をチェックして、えんぴつをけずったり、消しゴムを補充したり、汚れていたらふいたりして整えよう

ランドセルチェック「1週間やったよ」カレンダー

できた日には○を書いてね。

	月	火	水	木	金	土	日
中身を元通りにしまう							／
おうちの人にプリント*をわたす							／
ランドセルの中をふく※							／

*プリントが配られたらその日にわたそう。　※1週間に1～2度くらい、ふく日を決めて実行しよう。

片づけ初心者さんは
全部出しても
とほうにくれないていどの
小物や
小さめエリアが
オススメよ
いきなり
タンスをザバーッとか
しないでね♡
ギクッ

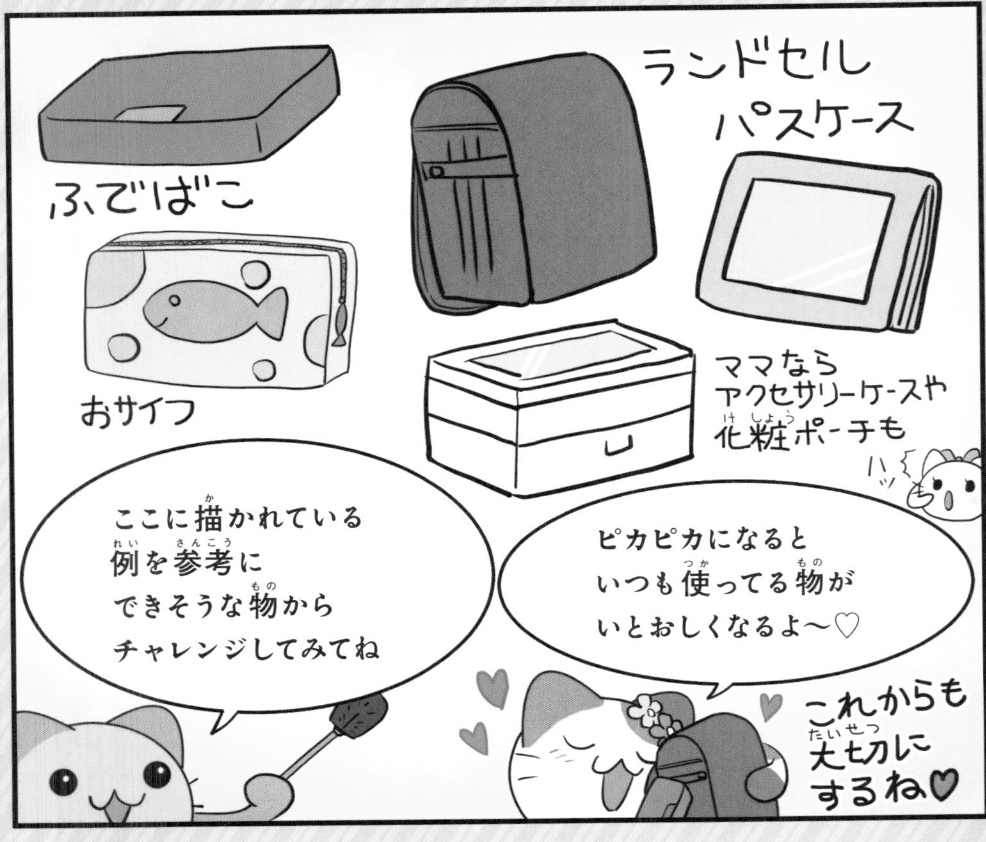
ふでばこ
ランドセル
パスケース
おサイフ
ママなら
アクセサリーケースや
化粧ポーチも
ハッ
ここに描かれている
例を参考に
できそうな物から
チャレンジしてみてね
ピカピカになると
いつも使ってる物が
いとおしくなるよ〜♡
これからも
大切に
するね♡

あっ
おサイフがパンパン！次はおサイフをやろっと！
パンパン
キレイな場所や物が増えるとそうじゃないところが気になってくるのよね
いい傾向ね

たまりにたまったレシート 期限切れのクーポン 遠くのお店の割引券…
20円引き
2019年2月末まで クーポン
こんな小さいのに次々といらない紙が出てくる…
いる紙は出てこないのに…
1000
あ ニャンリオショップのスタンプカードだ！スタンプたまってたのに忘れてた〜！
ニャンリオ スタンプカード

うれしい〜！スタンプカードの割引でほしかったグッズが今月のおこづかいで買える！
おサイフの中を片づけなかったら買えなくてガッカリしてたかも…
あ〜いとしいおサイフ…♡
小さいところでも片づけするといいことがいっぱい！
読者のみんなもLet's try!!

\ 教えてキネコ先生！ 1 /

Q
出した物を元の場所にしまうっていうのは、毎日やらないとダメ？

A

もちろんです！

出しっぱなしにしておくと、その出しっぱなしの部屋が「当たり前の状態」になってしまうので、あっという間に部屋はちらかっていきます。「出したら、すぐに元の場所にしまう」は鉄則です！

ただ、「しまうのがすご～くめんどう」という人は、しまおうとしている場所に問題ありのケースがほとんど。手間がかかるほど「後でまとめてやろう」と、そのままほったらかしにすることに…。

片づけやすい場所は、**①わかりやすい　②カンタンに戻せる　③戻すのに手間なし**の3つがそろっているところ。よく使う物ほど、上の①～③を意識して、しまう場所を決めましょう。

Q
学年が上がるたびに教科書が増えて、置き場所がない。捨てたいけど、いいのかな？

A

今まで見返したり、復習したりで使ったことがないなら、処分もあり

学習は、勉強したことを土台に新たな知識を積み重ねていきます。前の学年だからもう使わないと思っても、「わからない」が出てきた時は確認することもあるので、できれば取っておいた方がいいです。

とはいえ、毎年新しい教科書、副読本や資料集などの関連教材がどさ～っと来るので、置き場所がなくなるのも事実。この1年間、全く見返したりしなかった物は、処分することも考えていいと思いますよ。

算数が一番学んだことが土台となる積み重ねの教科なので、算数の処分は最後にするのがオススメです。

4章

レベルアップ！部屋の片づけに挑戦！“いざ、大物へ”

小さい物で
「全だわし」のくり返しに
自信がついたら
「あの部屋」に
とりかかりますよ！
あの…

もは〜ん…
あの部屋…
ですか…

まずは机から！
1日では大変だから
無理せず少しずつ…
ヒュー
あっぶねえ〜!!
言ったそばから
やらかそうとしてた！
引き出しぜんぶザバーッと！

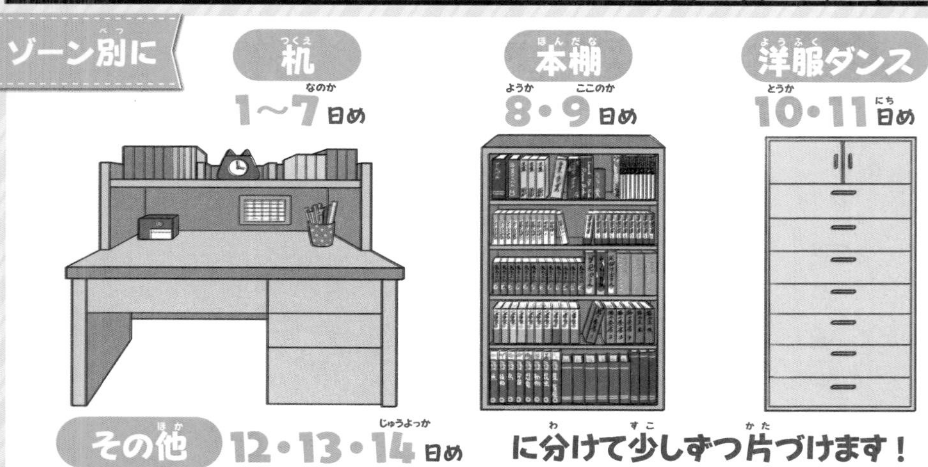

ゾーン別に
机 1〜7日め
本棚 8・9日め
洋服ダンス 10・11日め
その他 12・13・14日め
に分けて少しずつ片づけます！

2週間片(しゅうかんかた)づけスケジュール

作業(さぎょう)する場所(ばしょ)を確保(かくほ)するために、机(つくえ)の上(うえ)から始(はじ)めるよ！
分(わ)けた物(もの)を種類(しゅるい)ごとに入(い)れていく袋(ふくろ)を用意(ようい)しよう。

月(げつ)	1日(にち)目	机(つくえ)の上(うえ)をきれいにして わける	ようか 8日目	本棚(ほんだな) 全部(ぜんぶ)だす わける しまう
火(か)	ふつか 2日目	1段(だん)めの引(ひ)き出(だ)しを 全部(ぜんぶ)だす わける	ここのか 9日目	↓
水(すい)	みっか 3日目	2段(だん)めの引(ひ)き出(だ)しを 全部(ぜんぶ)だす わける	とおか 10日目	洋服(ようふく)ダンス 全部(ぜんぶ)だす わける しまう
木(もく)	よっか 4日目	3段(だん)めの引(ひ)き出(だ)しを 全部(ぜんぶ)だす わける	11日(にち)目	↓
金(きん)	いつか 5日目	広(ひろ)い方(ほう)の引(ひ)き出(だ)しを 全部(ぜんぶ)だす わける	12日(にち)目	宝物(たからもの)や趣味(しゅみ)の物(もの) わける しまう
土(ど)	むいか 6日目	しまう	13日(にち)目	床(ゆか)にある物(もの) わける しまう
日(にち)	なのか 7日目	しまう 予備日(よびび)	じゅうよっか 14日目	部屋(へや)のそうじ

ジャーン！
これが私(わたし)の立(た)てた
お部屋片(へやかた)づけ攻略法(こうりゃくほう)です

机の片づけスケジュール

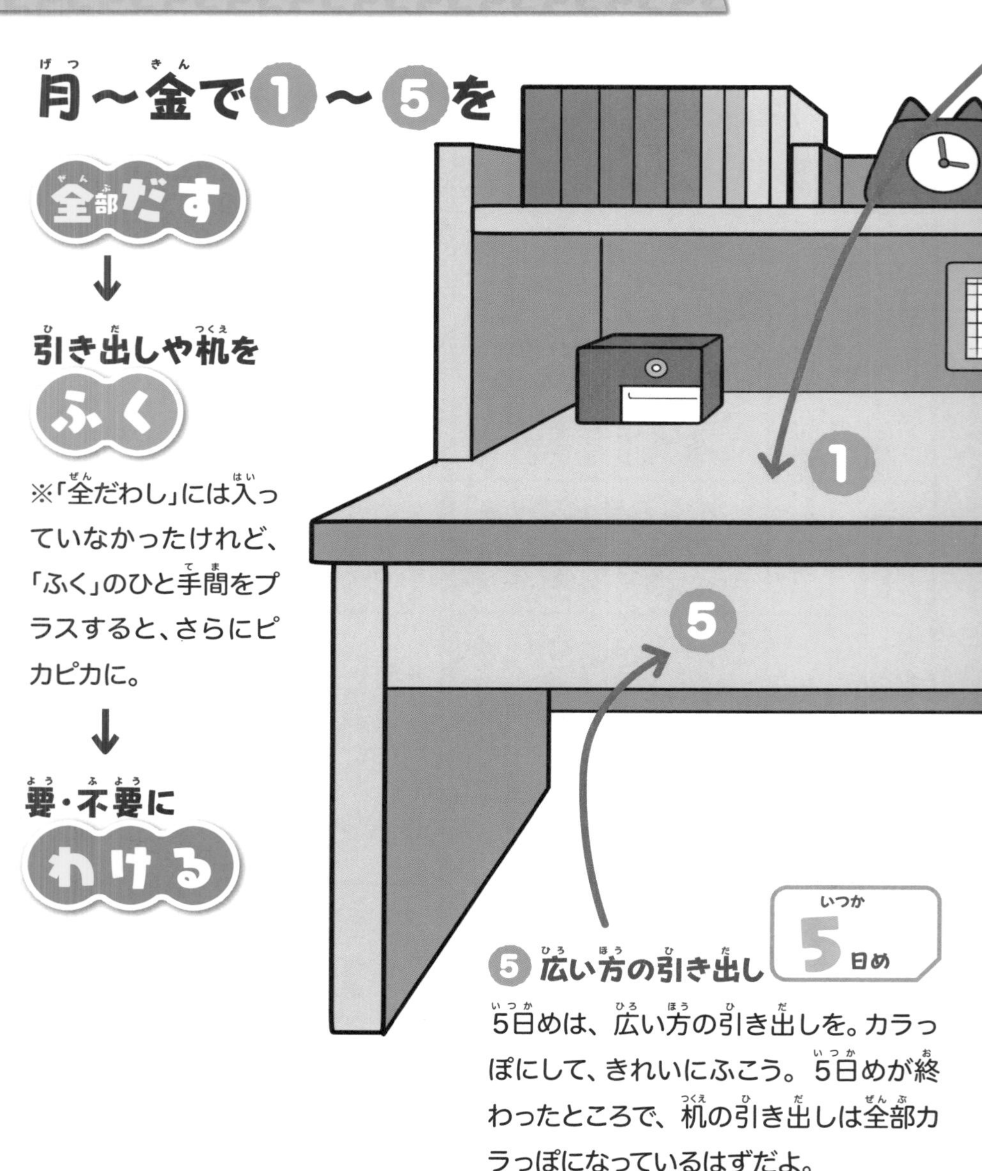

5日め

5 広い方の引き出し

5日めは、広い方の引き出しを。カラっぽにして、きれいにふこう。5日めが終わったところで、机の引き出しは全部カラっぽになっているはずだよ。

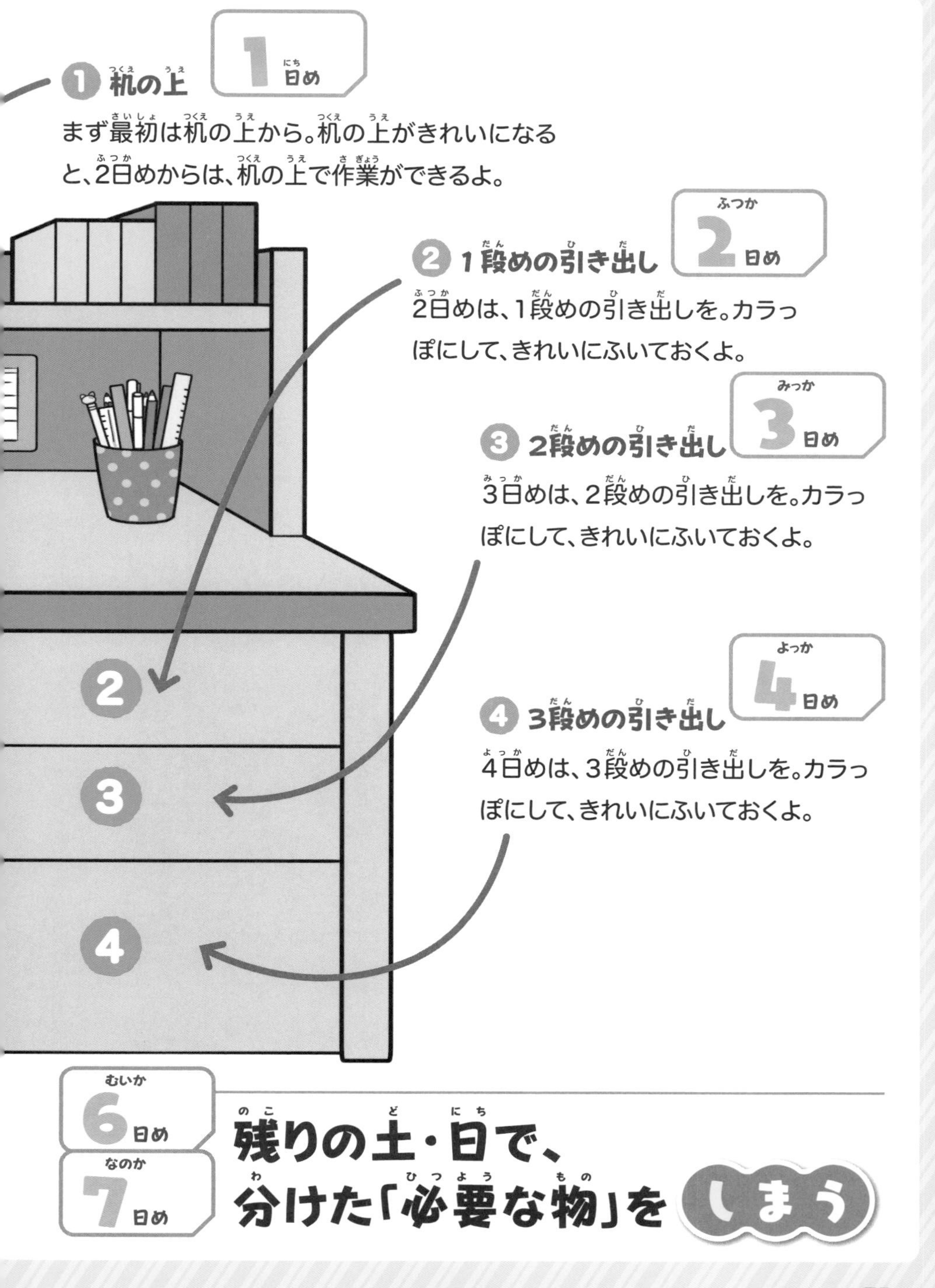

① 机の上　1日め

まず最初は机の上から。机の上がきれいになると、2日めからは、机の上で作業ができるよ。

② 1段めの引き出し　2日め

2日めは、1段めの引き出しを。カラっぽにして、きれいにふいておくよ。

③ 2段めの引き出し　3日め

3日めは、2段めの引き出しを。カラっぽにして、きれいにふいておくよ。

④ 3段めの引き出し　4日め

4日めは、3段めの引き出しを。カラっぽにして、きれいにふいておくよ。

6日め　7日め

残りの土・日で、分けた「必要な物」を しまう

1日め 机の上の片づけ

まずは作業をする場所を作るために、机の上から始めるよ！
分けた物を種類ごとに入れていく紙袋を用意しよう。

作り方は51ページを見てね

用意するもの
- 必要な物を種類別に入れる紙袋
- 水ぶきに使うもの
（ぞうきん、いらない布、ウエットティッシュなど）

わける 机の上の物を「必要な物」「いらない物」に分けていこう

必要な物

必要な物は、種類ごとに紙袋に入れていこう。

いらない物

あげたり、売ったりできそうな物は、別の紙袋に。無理な物は思い切ってさよならしよう。

机の上にある教科書やノートなど、多くて紙袋に入らない場合はダンボール箱に入れておこう！

机の上をきれいにふく

机の上に物がなくなったら、水ぶきしよう。

1日め終了

2日め　1段めの引き出しの片づけ

机の上を作業場にして、まずは1段めの引き出しから！　1日めで分けるのに使った種類別の紙袋に、同じ種類の物があればどんどん入れていこう。

用意するもの
- 1日めに必要な物を入れた紙袋
- 新しい紙袋（空き箱など）
- 水ぶきに使うもの
  （ぞうきん、いらない布、ウエットティッシュなど）

机の上に1段めの引き出しの中身を全部出す

引き出しの中をきれいにふく

水でぬらした布を固くしぼったら、引き出しの中と外をきれいに水ぶきしよう。

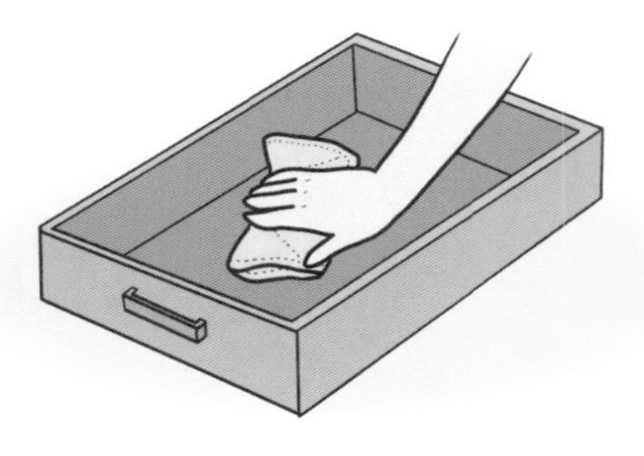

わける 出した物を「必要な物」「いらない物」に分けていく

1日めに使った紙袋に同じ種類の物をどんどん入れていこう。

必要な物

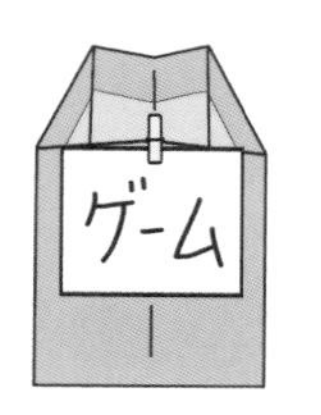

必要な物は、種類ごとに紙袋に入れていこう。

あげたり、売ったりできそうな物は、別の紙袋に。そうでない物は思い切って捨てよう。

どの紙袋にも分けられない物が出てきたら、新しい紙袋を用意しよう。袋に入りきらない物はダンボール箱や空き箱に入れよう。

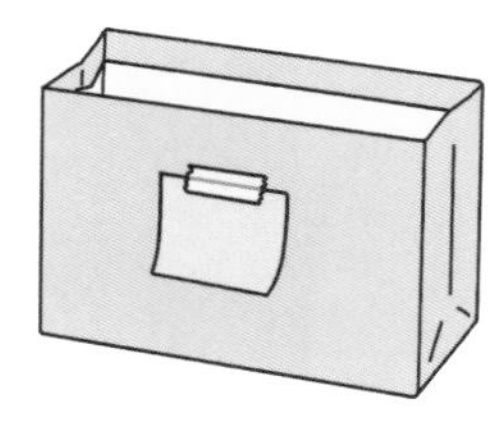

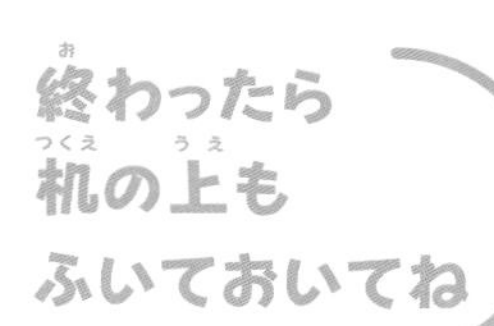

3日め 2段めの引き出しの片づけ

1段めの引き出しと、やることは同じだよ。
机の上を作業場にして、2段めの引き出しに挑戦！

用意するもの
- 2日めまでに必要な物を入れた紙袋
- 新しい紙袋（空き箱など）
- 水ぶきに使うもの
（ぞうきん、いらない布、ウエットティッシュなど）

全部だす 机の上に2段めの引き出しの中身を全部出す

ふく 引き出しの中をきれいにふく

水でぬらした布を固くしぼったら、引き出しの中と外をきれいに水ぶきしよう。

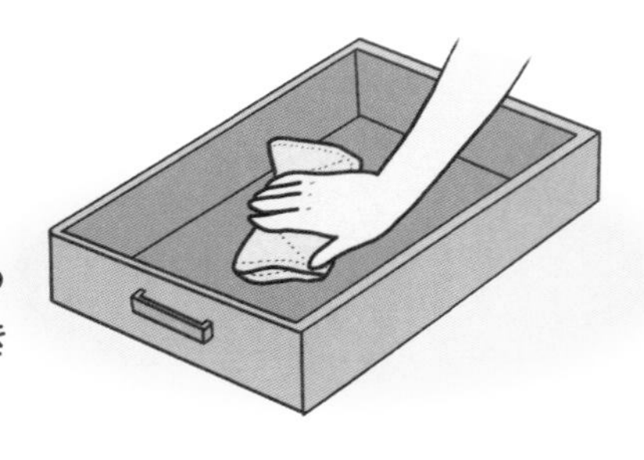

わける 出した物を「必要な物」「いらない物」に分けていく

2日めまでに使った紙袋に同じ種類の物をどんどん入れていこう。

必要な物

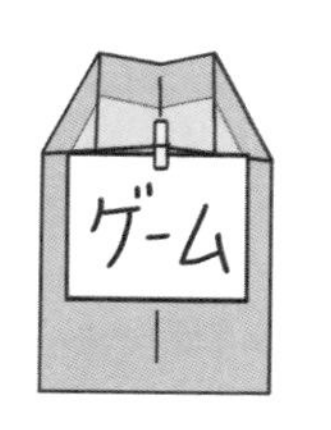

必要な物は、種類ごとに紙袋に入れていこう。

いらない物

あげたり、売ったりできそうな物は、別の紙袋に。そうでない物は思い切って捨てよう。

どの紙袋にも分けられない物が出てきたら、新しい紙袋を用意しよう。袋に入りきらない物はダンボール箱や空き箱に入れよう。

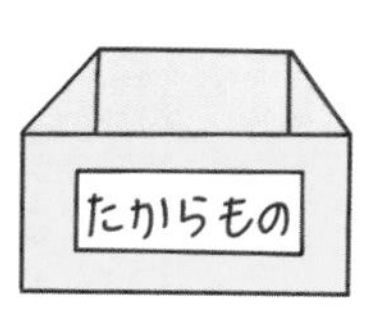

3日め終了

終わったら机の上もふいておいてね

4日め 3段めの引き出しの片づけ

やることはこれまでと同じ！
大きい物が多いので、「全部出す」時はしんちょうにね。

用意するもの
- 3日めまでに必要な物を入れた紙袋
- 新しい紙袋（空き箱など
- 水ぶきに使うもの
（ぞうきん、いらない布、ウエットティッシュなど）

机の上に3段めの引き出しの中身を全部出す

引き出しの中をきれいにふく

水でぬらした布を固くしぼったら、引き出しの中と外をきれいに水ぶきしよう。

出した物を「必要な物」「いらない物」に分けていく

3日めまでに使った紙袋に同じ種類の物をどんどん入れていこう。

終わったら机の上もふいておいてね

5日め 広い方の引き出しの片づけ

引き出しは今日で最後！

やることはこれまでと同じだよ。がんばろう！

用意するもの
- 4日めまでに必要な物を入れた紙袋
- 水ぶきに使うもの
  （ぞうきん、いらない布、ウエットティッシュなど）

全部だす

机の上に広い方の引き出しの中身を全部出す

引き出しの中をきれいにふく

水でぬらした布を固くしぼったら、引き出しの中と外をきれいに水ぶきしよう。

出した物を「必要な物」「いらない物」に分けていく

4日めまでに使った紙袋に同じ種類の物をどんどん入れていこう。

終わったら机の上もふいておいてね

6日め 引き出しにしまう

仕分けした種類ごとの紙袋。入っている物をどんどん引き出しにしまっていこう。

引き出しに物をしまう時のコツ

コツその1

よく使う物は引き出しの手前に。ストック品は奥に入れる。

ストック品とは予備の品
使っている物がなくなった時のために取っておくよ
ストック品は2段めの引き出し奥がオススメ

引き出し収納例

奥 ストック

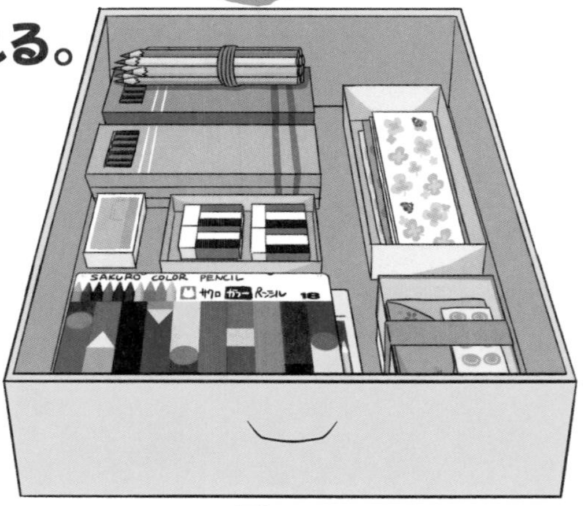

手前 よく使う物

注意

種類でまとめて入れることにこだわりすぎると、引き出しの手前から半分くらいまでえんぴつばかり、ということになっちゃうよ。多すぎる物は、今、使う物と使わない物に分けて、使わない分はストック品にまわそう。

コツ その2

小さい物は、箱や間仕切りを使うと、バラけないで収納できる。

おかしの空きカンやフタなども、収納に利用できるよ！

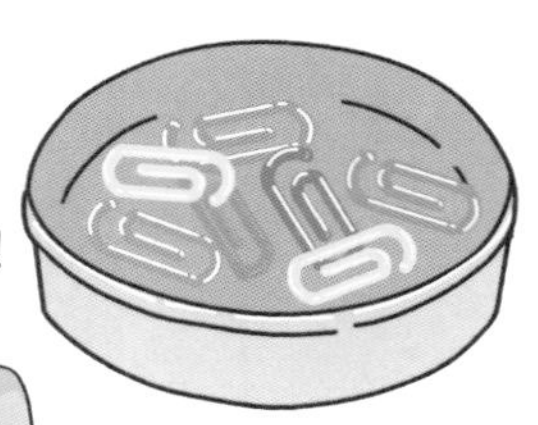

7章に仕切り箱や小物入れの作り方がのっているよ！

→146ページ

引き出しをあけたら、何がどこに入っているか、ひと目でわかるように入れる。

ファイルは背表紙が見えるように！

教科書・ノートは
すぐ取り出せる
ところにしまおう。
机のしまい場所を決める時のコツ
すわると半分くらい
しか引き出せないから
手前に趣味の物や
宝物がオススメ。
たまより
折り紙
me mo
DIARY
20XX
1
よく使う物は、
1段めの引き出しに。
2
次によく使う物は、
2段めの引き出しに。
大きくて高さがある物は
3段めの引き出しに。
物の大きさや、どの
くらい使う物かで
机のどこにしまうかを
決めていくといいよ！
引き出しの大きさも
考えて

7日め
しまう・予備日
最後の日は予備日。「しまう」が終わっていなければ、この日で終わらせちゃおう！
やった～終わった～！
ペン立ては、手の届くところに置こう。
SAKURO COLOR PENCIL
テスト
宿題
プリント
うん えらい！でもまだ部屋の中ちらかってるから
あっ…そうでした

2週め

8・9日め 本棚の片づけ

ルール 本棚にしまう物は何? ルールを決めよう

1 1段めの本棚、2段めの本棚。どこに何を入れればいい?

2 重い本やあまり読まない本は、一番下の段に。出し入れしやすいゴールデンゾーンは真ん中の段。

【本棚・入れる物】ルールリスト

	入れる物
1段め	
2段め	
3段め	
4段め	

※5段め以上がある場合は、リストを足してね。

やってみよう!

1段めに置くのは本？
それとも宝物など？
マンガやお気に入りの本は何段め？
百科事典は？
上のリストにキミのルールを書きこもう。

出してカラになった本棚は、水でぬらして、固くしぼったぞうきんでふいておこう。

わける

出した本を必要な本・いらない本に分けていくよ。

いらない本・読まない本

しまう

本の並べ方

- シリーズものは同じ種類ごとに、順番通りに並べよう。
- 何の本かわかるように、背表紙が読めるような向きで本を置こう。
- 本が少ない時は、たおれないようにブックスタンドで支えよう。

仕分けにチャレンジ！＜本棚＞

ごちゃごちゃのみけの本棚。本棚に置くのにふさわしくない物もまざっているよ。どこにしまったらいいか、分けてみよう。それぞれ□に❶～❹の番号を書いてね。

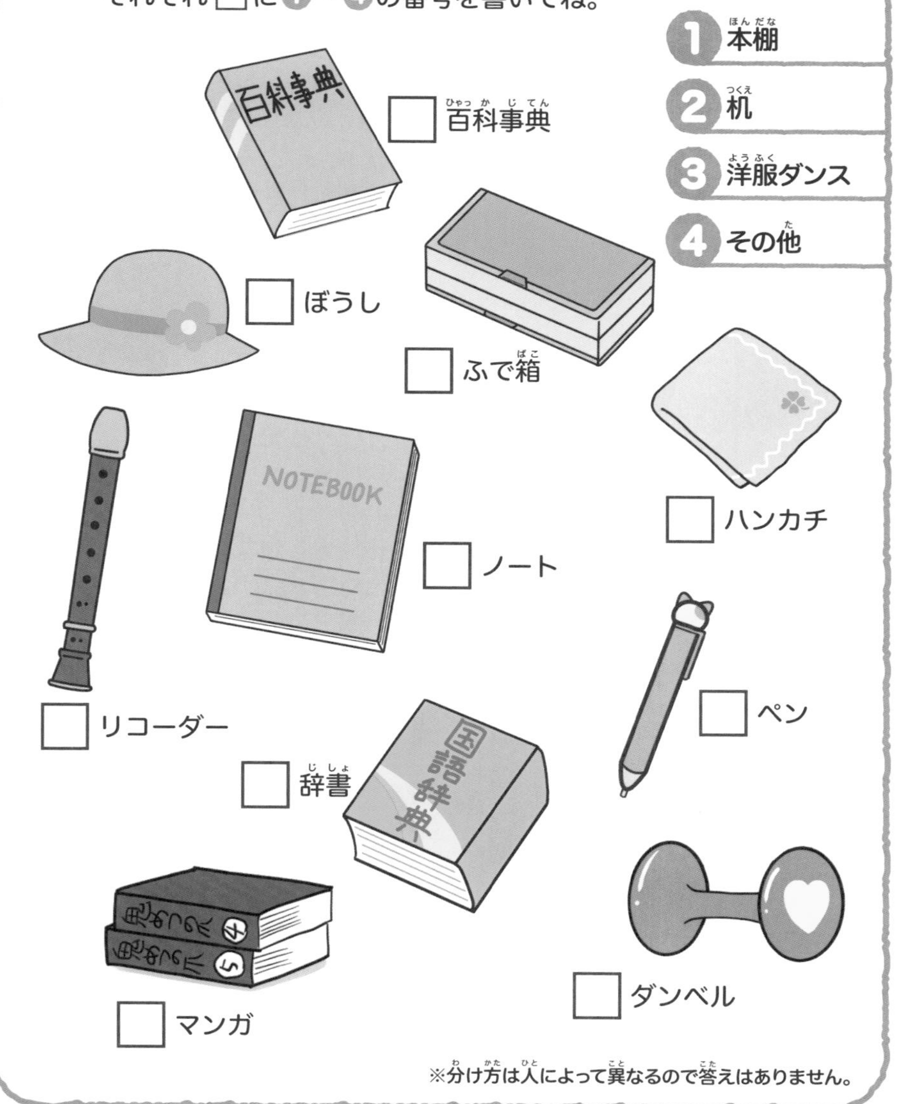

※分け方は人によって異なるので答えはありません。

2週め

10・11日め 洋服ダンスの片づけ

ルール

洋服ダンスにしまう物は何？ ルールを決めよう

入れる物

- 今の季節に着たい服（お気に入りスタメン）

- まだ着られる服（ベンチ入り）

- お出かけの服

入れない物

- 小さくて着られない服

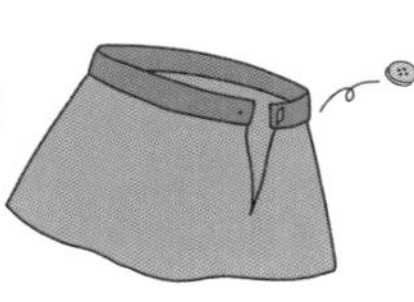

- 大きな穴や取れないしみ、汚れがある服

- 片方しかないくつ下など、ペアでそろっていない物

ハンガーにかける物

- ぼうし

- 一度着た服
- しわになりやすい服
- 上着

押し入れにしまう物

- 今の季節は着ない服

- とっておきたい服

【洋服ダンス・入れる物】ルールリスト

	入れる物
1段め	
2段め	
3段め	

※4段め以上がある場合は、リストを足してね。

やってみよう!

下着は何段め？　Tシャツは？
上のリストにキミのルールを
書き入れてみよう。

洋服ダンスにたくさん引き出しがあるなら
4段め・5段めとリストを足してね
分けながらルールを決めていってもいいよ

全部だす

カラの引き出しは水ぶきしておこう。

わける

しまう

- 種類ごとに分けて入れる。
- よく着る服は、引き出しの手前に入れる。
- たたんで、立てて入れる。仕切りをうまく使うといいよ。
- 何が入っているのかわかるように、引き出しにラベルをつける。

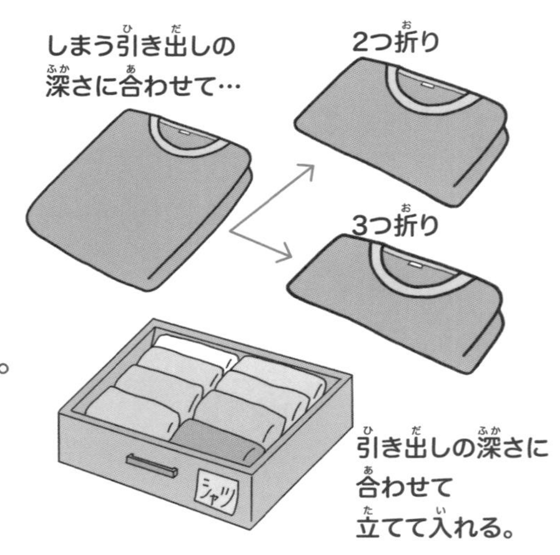

CMマンガ 5分でわかるの？

マンガ・たちばな かいむ

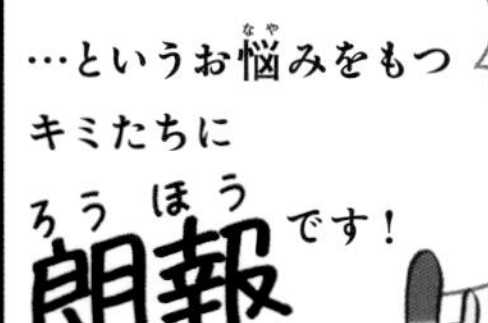

友だち関係で悩んでいるキミにはコレ！

友だち関係のお悩み実例＆解決法について、監修の先生かつワクワクとニコニコの専門家・ジョーとトールが、いろいろな友だち関係のお悩みにも応用できる「笑顔の法則」を教えるよ！主人公は小学４年生の擬人化したにゃんころたちだけど、「友だち術」は中高生でも大人になっても一生使えるスキル。友だち関係の悩みがないキミも、知っておいて損はない。「あるある」的な身近な実例マンガでさくさく読めちゃうよ！

全国書店・ネット書店で好評発売中 ＊定価：990円（税込）

マンガ：橘 皆無

…こんな時はどうしたらいいの？

教えて！

ジョー先生&トール先生

いろいろなお悩みが登場！

キミに似た子もきっといるよッ

ああ
私は
グループ分けが
キライ…

▲ふーちゃんは、一人になるのが怖くて、仲良しグループで行動するが…

◀一人が好きなめがねこちゃん。でもグループ分けの時だけは憂うつに…

ワクワクのジョー先生とニコニコのトール先生がいろんな悩みに応用できる解決法を5つ用意したよ。キミに合う解決法がきっと見つかる！

身のまわりをキレイにしたい キミにはコレ！

一生使えるスキルが
小学生実用BOOKS
5分でわかる
片づけ術

片づけられないお悩みについて、読めば5分でやり方がわかる明快セオリーを、片づけのプロ・キネコ先生が伝授！　これまで漠然と「片づけなくちゃ」と思っても、やり方がわからなかったキミも、必ず片づく実践的な指南書だ。片づけ術は身につけたら一生役立つスキルなので、子どもから親世代まで、身のまわりをきれいにしたいと願うすべての人に読んでほしい。片づけの法則をわかりやすくおもしろくマンガで解説した実用書！

全国書店・ネット書店で好評発売中 ＊定価：990円（税込）

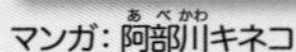

マンガ：阿部川キネコ

小学生実用BOOKS

3巻目の 5分でわかる安心

2021年夏発売予定！

※全国… します。ぜひ…

お母さんに叱られて「家出したい！」とツイッターでつぶやいたちーちゃん。見知らぬフォロワーのかおる子さんから「しちゃえしちゃえ！ なんならウチ来る？」とお返事が…。

※左のマンガは『友だち術』より。内容は変わる場合があります。

インターネットは、調べものなど… な面もあるけれども、個人情報がさ… されたり、悪用されたりと、犯罪に結び つく危険性も高い。ネット関係のお悩みは、お悩みができてからでは手遅れだ！ まずは、使う前に、安全に使うための基本的な知識やルール、マナーを知ろう。インターネットに最初に触れる小学生に知ってほしい、安心ネット術のハウツーを専門家の先生が伝授！ にゃんころたちのマンガでわかりやすく解説するよ。

あたしたち、ぼくたちの「にゃんころの本」、まだまだたくさんあるよ。くわしくはこちら➡
https://gakken-ep.jp/extra/nyankoro/series/

動画も見てね！

学研ミリオンず

にゃんころ4コマ、「学研ミリオンず」で配信！

「学研ミリオンず」とは、学研プラスがYou Tubeに開設した公式チャンネル。「最強王」や「5分後に意外な結末」シリーズなど人気コンテンツの魅力を動画でさらにパワーアップ。

https://bit.ly/3qvaic9

＊にゃんころほか、豊富なラインナップ！　たとえば…
＊百人一首（百人一首の意味や背景を知りたいキミに）
＊最強王（恐竜や動物のバトルが好きなキミに）
＊レイワ怪談（怖いお話が好きなキミに）
＊5分後に意外な結末×和田雅成（5分後とイケメンが好きなキミに）
＊ぴよちゃん（3～6歳の弟や妹のいるキミに）

ほかにもあるよ！

続々と新作のおもしろコンテンツを配信する予定なので、ぜひチャンネル登録を！

見てね～！

洋服のたたみ方

なれるまで、おうちの人といっしょにやってみてね

Tシャツのたたみ方

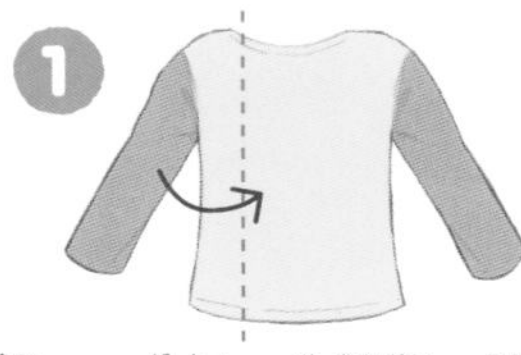

1 平らな場所で背中側を上にして広げ、------で折る。

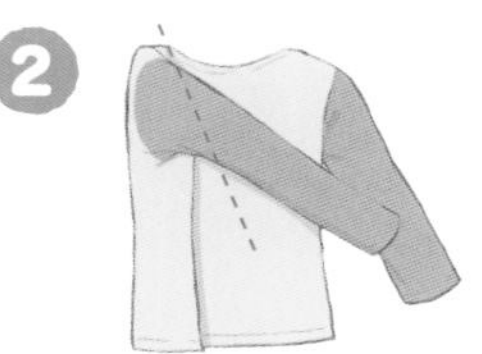

2 そでを折り返す。

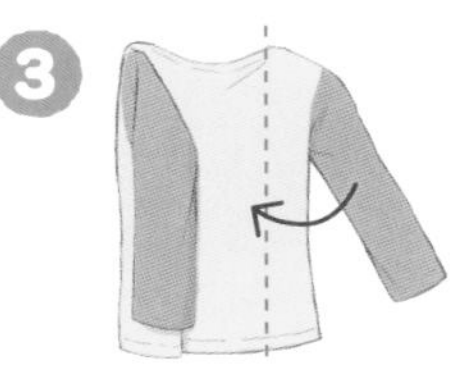

3 反対のそでも------で折る。

4 同じようにそでを折り返す。

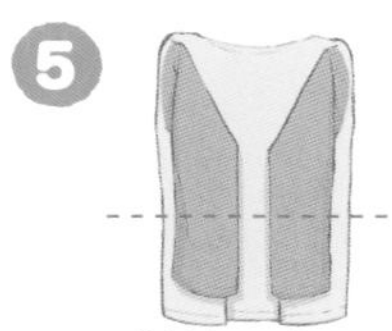

5 半分に折る。

6 引き出しの深さに合わなければ、もう半分に折る。

パーカーのたたみ方

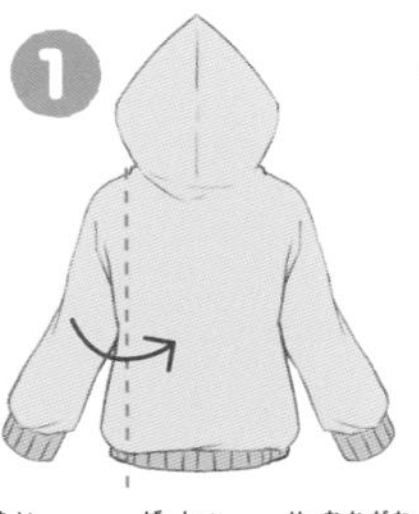

1 平らな場所で背中側を上にして広げ、------で折る。

2 そでを折り返す。

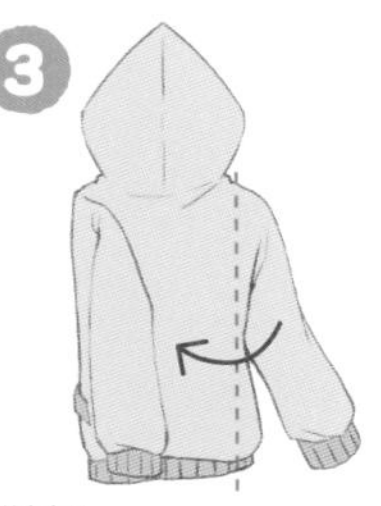

3 反対のそでも------で折り、そでを折り返す。

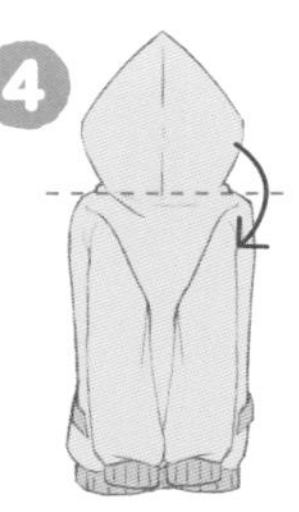

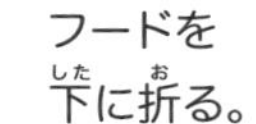

4 フードを下に折る。

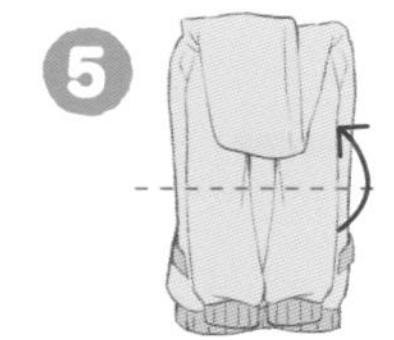

5 下から半分に折る。

6 ひっくり返して…

7 できあがり。

洋服のたたみ方

スカートのたたみ方

① 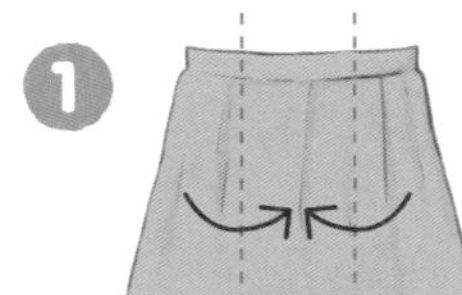

平らな場所でしわにならないように広げ両わきから折る。

② 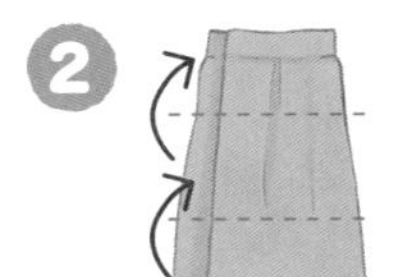

下からくるくると三つ折りにする。

③ できあがり。

ズボンのたたみ方

① 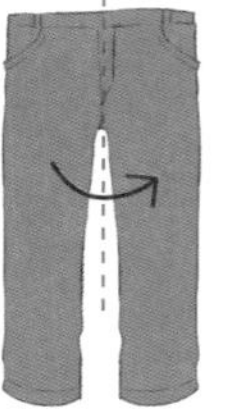

平らな場所で広げ、縦に半分に折る。

② 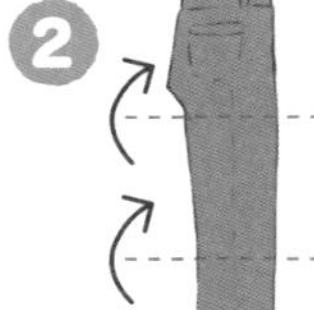

下から三つ折りにする。

③ できあがり。

パンツのたたみ方

① 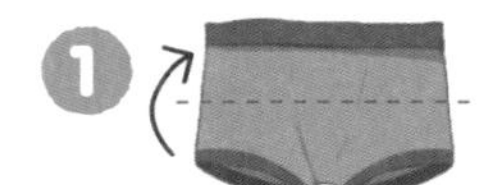

平らな場所で広げ、下から上に半分に折る。

② 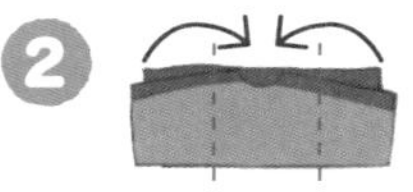

右・左の両方から内側に折る。

③ 

できあがり。

くつ下のたたみ方

① 

1足のくつ下2枚を平らな場所で広げる。

② 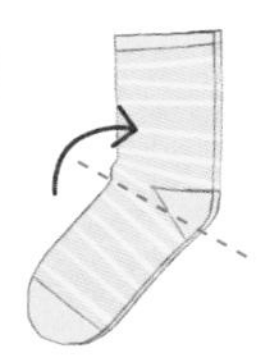

2枚を重ね、かかとのところで下から上に折る。

③ 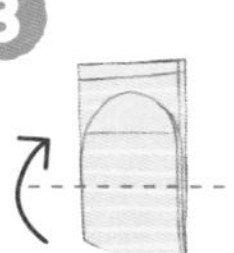

さらに半分に折る。

④ できあがり。

仕分けにチャレンジ！＜洋服ダンス＞

洋服ダンスにしまってあったみけの服を、分けてみよう。
それぞれ □ に ❶～❸ の番号を書いてね。(今、季節は夏として考えてね)

❶ 今、着る服

❷ 取っておくけど今は着ない服

❸ さよならする服

□ 着られるけど
あまり好きで
はない服

□ 今の季節に
着たい服

□ 園の制服

□ マフラー

□ ペアの片方しか
ないくつ下

□ 去年の発表会に
着たワンピース

□ 穴や汚れの
ある体操着

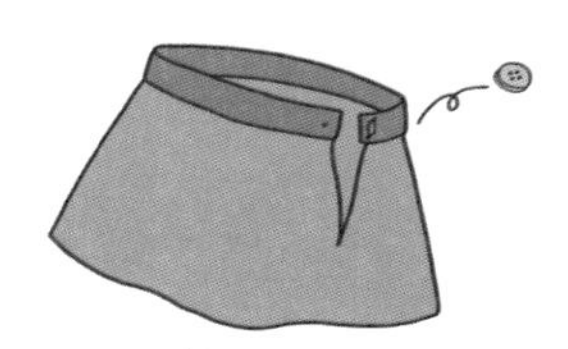

□ 小さくて
着られない服

□ 洗たくしたお気に入り
のTシャツ

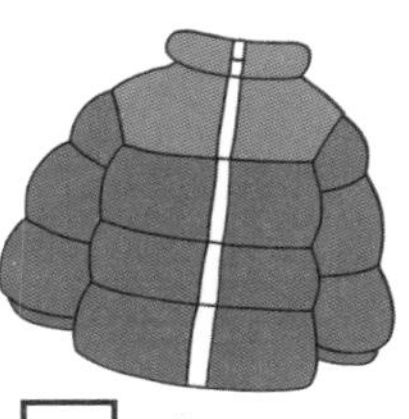

□ ダウンコート

※分け方は人によって異なるので答えはついていません。

12日め 宝物や趣味の物の片づけ

ルール

これまでの片づけで出てきた宝物や趣味の物はどこにしまう？ルールを決めよう

1 取っておく物はどんな物？取っておく数・量はどのくらい？

2 置き場所を決めよう。

わける

おもちゃでも、ゲームに関する物、ミニカーのような車に関する物など、種類ごとに分けていこう。

しまう

よく使う物は取り出しやすいところに。思い出の品などを飾りたいなら目に見える場所に、取っておきたいのなら、押し入れなどにと、場所を決めてしまうようにしよう。

壁も上手に利用しよう！

好きな物が見えるところにあると、気持ちがウキウキするよ。壁も利用しながら収納したり飾ったりしてみよう。

2週め

13日め まだまだ床にある物の片づけ

大きくて机や本棚にしまえない物もあるよね。どこに置くか、一つひとつ決めていこう

● ランドセルや絵の具、書道セットは、すぐに取り出せるよう机の横にかけよう。

● ボールやラケット、ダンベルなど、趣味の物で大きい物や重い物は、ジャマにならない場所にまとめて置こう。

● リュックサックなど、ふだんは使わない物は、上の方の棚や押し入れへ。

14日め 部屋のそうじ

さあ 最後の仕上げよ！
片づいた部屋を
おそうじしましょ

え〜？
まだやるの〜！

まず準備

汚れてもいい服

ぞうきんなど
いらない布とバケツ

そうじ機や
フロアモップ

ほこり
落とし

ほこり落とし

水ぶき前にほこり落としをすると楽です。

ふきそうじ

ぞうきんのしぼり方

❶ 水でぬらして丸めたぞうきんを体に縦向きになるように、上と下の方を持つ。

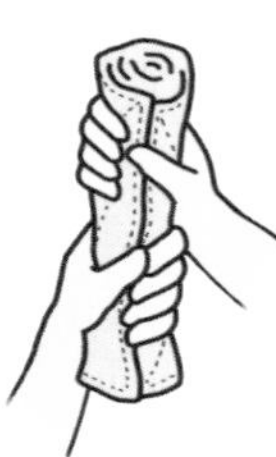

❷ 両手首を内側にまわして、ギューッとしぼる。

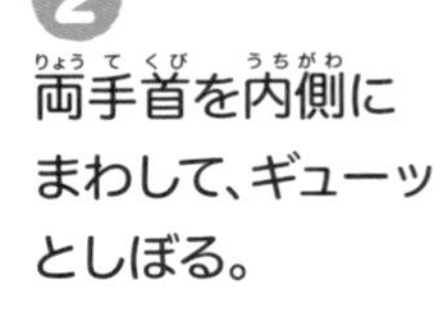

家具の外側のふき方

1. 上の面をふく。奥から手前の順で左右にふいていく。
2. 横の面も「上から下」の順で左右にふく。

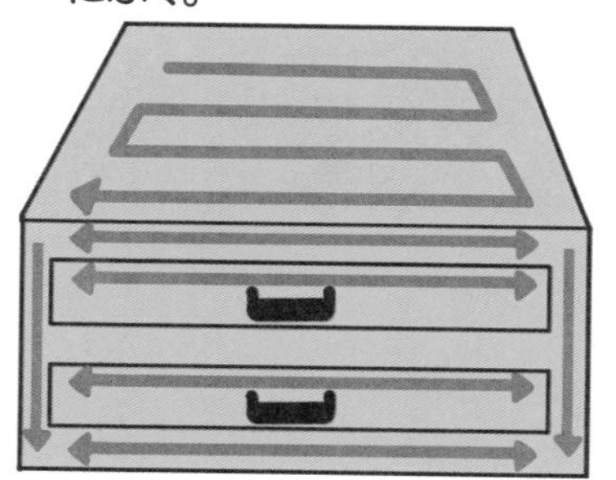

窓ガラスのふき方

1. 「上から下」の順で、ぬれたぞうきんで左右に水ぶきする。
2. 「上から下」へ、同じように左右にからぶきする。

そうじ機をかける

1. 部屋全体にまんべんなくそうじ機をかける。
2. 机の下や本棚の下も。床に置いた物などはどかすこと。

モップがけ

1. そうじ機をかけたら、部屋全体に乾いたフロアモップをかける。
2. 木目にそってかけよう。
3. 汚れがひどいところは、ぬれたフロアモップやぞうきんなどのいらない布でふきそうじを！

すっかり部屋が片づいて
安心して友だちを呼べるように
なりました！
はたして
そうかしら…？
おや
おや
えっ!?

おじゃましま～す！
いらっしゃ～い

わあ！
みけちゃんの部屋
かわいいね！
見直しちゃった！
エヘン!!
クッキー
お手洗い
どこかな？
あ
こっち

お手洗い…!?
ゴゴゴ…
ま…待って!!
お手洗いは
まだ…
ガチャッ
あああああああああ

———— とならない
ためにも
今度はおうち全体を
キレイにしましょう！
なでなで
ドキドキ
はい～～～～～～～っ!!

5章

家は自分の部屋だけじゃない！家族が使うところは、家族でおそうじ

トイレ
汚くなってきたなあ
見たくない…
におう…

洗面台も
猫の毛だらけだし

リビングも
そうじしてなくて
洗たく物は放置
まあ
あたしの
ものも
あるん
だけど…

自分の部屋は
片づいてるのに
これじゃだれも
家に呼べないよ
でも
ママは
仕事復帰で
大変で…って
きいてる？

ママが仕事から
帰ってきたら
そうじしてって
言わなきゃ！
ちょっと
待ったーーーー!!
ヒャーッ
どん

キネコ先生!?
ど、どこから!?
ビックリした～～
ビシッ
トイレも洗面所も
そしてリビングも
使ってるのはママ
だけ？

ハッ
使ってるのは
家族みんな…

汚してるのは
あたしもだし
家族みんなだよ
なのに
ママだけに
やらせてた
…
みけ…
うんうん
そうよ！　暮らしている場所は
自分の部屋だけじゃないの
おうち全体が自分の部屋！
何をすればいいか
わかるでしょ？

みんなの使う場所は
みんながきれいに
しないと…だよね！
そのとおり！
よく気がついたね!!
お父さんや
ちびちゃんたちにも
できることから
参加していただき
ますからね～！
ただい…
ビッ
やるよ
みんなっ!!
なぁに？
なぁに～？
えっ　こわっ
何なに!?
片づけは
おわったんじゃ…？

さて!!
片づけがすんだら
次はそうじの番です!
先生じつは
そうじも
プロなの
みっちり
しこんで
あげる♡
おそる
おそる
あの～…
キネコ先生
「片づけ」と「そうじ」は
どうちがうんですか?
同じことだと思ってた
え
うそでしょ…?
そこからなの…?

「片づけ」はモノを
いる物といらない物に
仕分けして収納・処分すること
う～ん
いる、いらない
夏物
ゴミ
カゴ収納
考えることがたくさんあるので
とても頭を使います
「そうじ」はモノや場所から
ごみやほこりを取り除いて
清潔にすること
フキ
フキ
サッサッ
ゴー
パンパン
こちらは手や体を動かして
キレイにしていきます

小学生実用BOOKS 5分でわかる友片 アンケート

ご愛読ありがとうございます。より良い本作りのため、アンケートにご協力ください。
指定以外は対象読者ご本人のご意見をお願いします。

①この本のタイトルはどちらですか？　番号に○をつけてください。
1. 5分でわかる友だち術　　2. 5分でわかる片づけ術

②あなたの性別(○で囲む)／年齢(数字を記入)／小・中(○で囲む)と、学年(数字を記入)を教えてください。
性別　男　女　／(　　)歳　／小学・中学(　　)年生

③あなたのご意見を今後のシリーズ新刊やウェブサイトにご意見を掲載してもよろしいですか？
はい　／　いいえ

④③で「はい」の方は、ペンネームで掲載しますので(　　)にペンネームを書いてください。
ペンネーム(　　)

A.この本を買った理由に○をつけてください。(2つ以内)
おうちの方が買った場合はおうちの方のご意見をお願いします。
1.表紙がよかった　2.興味のあるテーマだった　3.中を少し見てマンガが面白かったから
4.ねこなので面白そうだったから　5.その他(具体的に　　)

B.この本の中で一番よいと思ったページ、企画名、よいと思った理由を教えてください。
企画名の書き方は、友だち術P.4-5、片づけ術P.8-9の「もくじ」のページを参考にして書いてください。
(　　)ページ　企画名(　　)
理由
【　　】

C.登場人物(とうじょうにゃんぶつ)の中で、あなたが一番好きなキャラクターの名前を書いてください。

D.あなたが今、一番悩んでいることや本の感想を書いてください。

E. 以下であなたが読んでみたいテーマはどれですか？　3つ以内で番号を書いてください。
1. 友だち　2. 勉強　3. 運動　4. お金(経済を解説)　5. 片づけ　6. 計画の立て方
7. おしゃれ　8. 英語　9. 文章術　10. 職業　11. 防災防犯　12. その他(　　)
●あなたのよいと思うもの➡よい順に(　)(　)(　)
●おうちの方がよいと思うもの➡よい順に(　)(　)(　)

ご協力ありがとうございました。

アンケートにご協力くださった人の中から毎月10名ににゃんころキャラからのお返事ハガキが届きます。
だれから届くかはお楽しみ！(応募者多数の場合は抽選。発表は発送をもって。最終締め切り：2022年2月末日消印有効)

郵便はがき

料金受取人払郵便

大崎局承認

9392

差出有効期間
2023年
2月15日まで
(切手はいりません)

141-8790

102

東京都大崎郵便局　私書箱第67号
(株)学研プラス　幼児・児童事業部

小学生実用BOOKS 5分でわかる友片係

●よろしければ、ご住所、電話番号などをご記入下さい。
(本案内が不要な方は、都道府県名とお子さまの性別、年齢のみでもけっこうです)

ご住所　〒　　　－　　　TEL

都道
府県

ハガキの記入者のお名前　フリガナ　　　お子さまとの関係

●メールによる簡単な追加アンケートにご協力いただけますか?　(YES ／ NO)どちらかに○を

●(YESの方のみ)メールアドレス　どちらかに○を　(携帯 ／ PC)

●お子さまのお名前(年齢の低い順に。この本の対象児の方の□にチェックをしてください)

フリガナ
□　男・女(西暦　　年生まれ)

フリガナ
□　男・女(西暦　　年生まれ)

●今後弊社から、新刊・既刊本や、ワークショップなどのご案内をお送りさせていただく場合があります。
案内が不要な方のみ、チェックをお願いします。 ……… □

★ご記入いただいた個人情報は、商品・サービスのご案内、企画開発などのために使用させていただく場合があります。また、ご案内などの業務を、発送業者へ委託する場合があります。お寄せいただいた個人情報に関するお問い合わせは、右記サイトのお問い合わせフォームよりお願いします。　https://gakken-plus.co.jp/contact/
または、Tel0570-056-710(学研グループ総合案内)よりお問い合わせください。弊社の個人情報保護については、弊社ホームページhttps://gakken-plus.co.jp/privacypolicy/をご覧ください。

片づけが済んでからそうじって言ったのはそういうこと！
そして片づいていないところのそうじはモノがジャマになって効率が悪いでしょ？
たしかに…
うっっ
ズゴーーッ
あっタワシがホコリとりになってる!!

さあ！ちがいがわかったところでみんなで体を動かして家じゅうキレイにしちゃいましょう!!
はーい
すいません…何を使ってそうじするかわからないんですが…
ママにまかせっきりだったんで…

次のページから場所別のおそうじ方法を説明するからしっかり読んでマスターしようね！
はーーい!!
基本はおうちにあるそうじ用具と洗剤だけで大丈夫！
あらあら…日本のお父さんねぇ～まったく…
すいません…

家族でキレイに①

玄関のそうじ

汚れていると運気が下がると風水などで言われている玄関。くつのぬぎっぱなしはやめて、キレイに使うように心がければ、週1回くらいのそうじでOKだよ。

玄関でそうじが必要な場所

1. 床（たたき・タイル）　毎日
2. ドア　毎日
3. 壁　週1回
4. げた箱の上　週1回
5. げた箱の中　1～2か月に1回

用意するもの

- ほうき（屋外用）
- ちりとり（屋外用）
- ぞうきんなどのいらない布
- バケツ

① 床（たたき・タイル）

置いてあるくつをどかす。

内側から玄関の外に向かって、ほうきではいてほこりやちりを集め、ちりとりに取る。

※雑にやると、ちりや花粉がまい上がるので、そっとていねいにはこう。

② ドア

水でぬらしたぞうきんやいらない布を固くしぼり、ドアノブをふく。

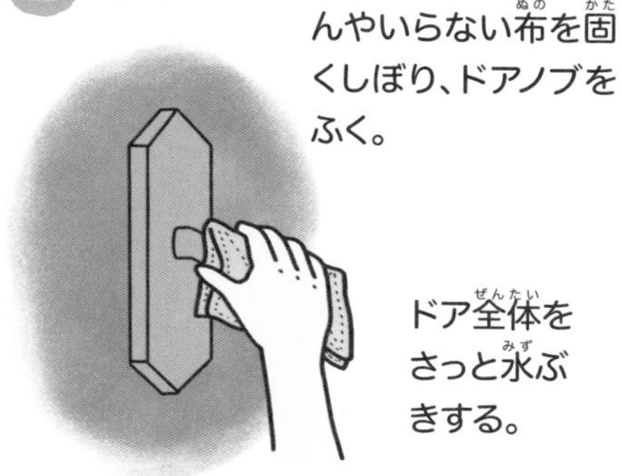

ドア全体をさっと水ぶきする。

③ 壁

高いところはモップで水ぶき。
※高いところは、おとなの人にお願いしよう。

下の方は手アカがついているので、ぞうきんや布で水ぶきを。

④ げた箱の上

置いてある物を動かし、ぞうきんや布で水ぶきする。

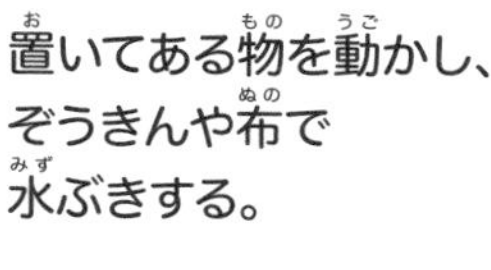

⑤ げた箱の中

くつを全部外に出す。
ほこりや砂を小さいほうきではらい落としたら、水ぶきする。

※とびらのあるげた箱の場合、水ぶきしたらすぐとびらを閉めずにそのままにして、よく乾かすこと！　カビの原因になるよ。

玄関のマナー

家族みんなが使う場所。みんなでキレイを保って思いやりを忘れずに。

1. **どろや汚れは持ちこまない！**
   なるべく外で落としてから玄関に入ろう。
2. **ぬぎっぱなしはNG！**
   決まっている場所にくつはそろえて置くように！
3. **どろは落ちにくいので、そうじはどろがしっかり乾いてからにしよう。**

家族でキレイに② トイレのそうじ

毎日の「サッとそうじ」を心がければ、いつでもキレイなトイレに！ 目に見えなくても、おしっこはいたるところに飛んでいるので、床や壁もふくようにしてね。

トイレでそうじが必要な場所

① 便器
② 便座
毎日

③ 床
④ 壁
週1回

※洗剤を使うので、おとなの人とやろう。

※手洗いは①便器や②便座と同じタイミングで、タンクは③床や④壁と同じタイミングでふこう。

用意するもの

- 使い捨ておそうじシート（ボロ布でもよい）
- ゴム手袋
- 専用ブラシ

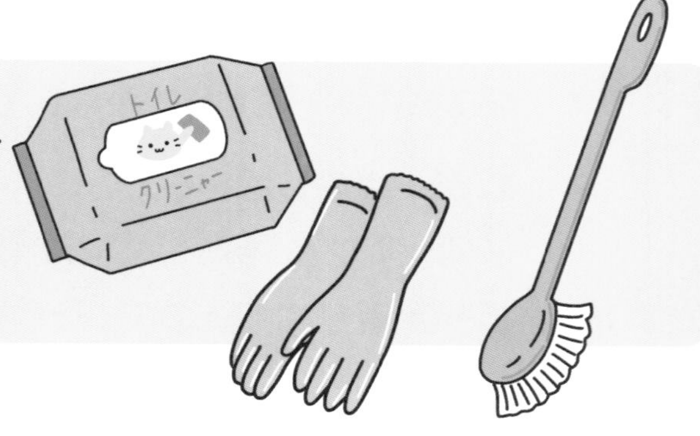

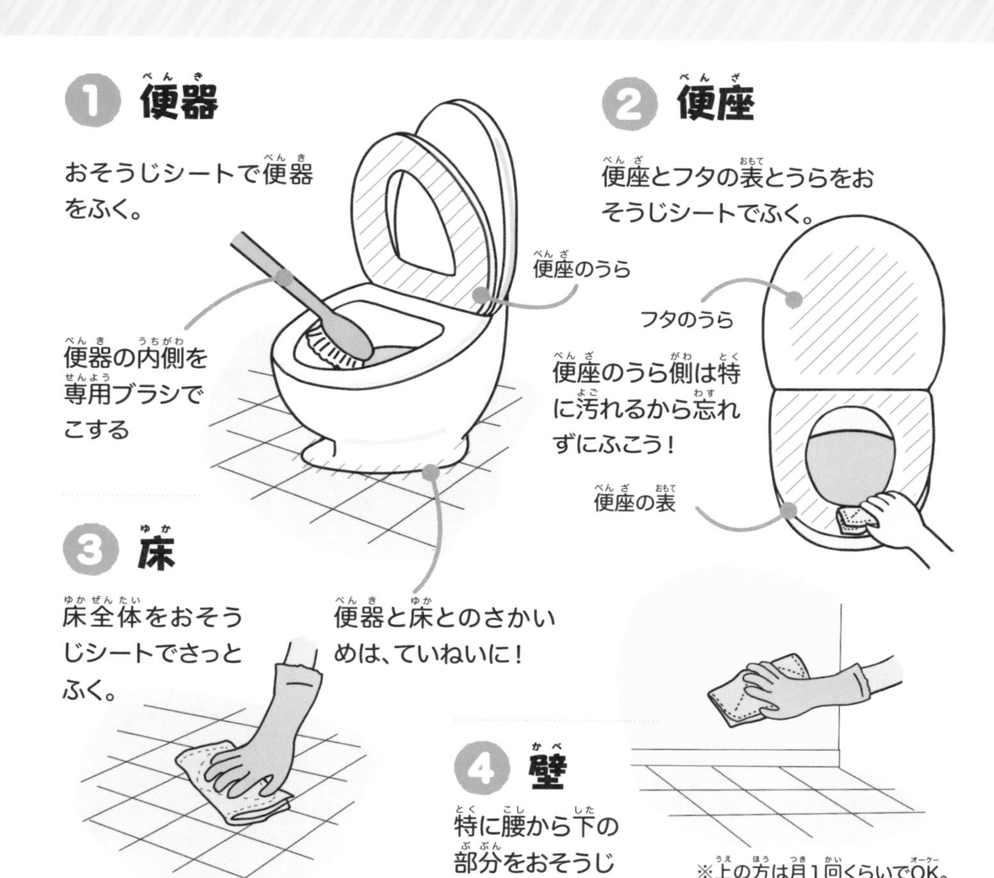

1 便器

おそうじシートで便器をふく。

便器の内側を専用ブラシでこする

2 便座

便座とフタの表とうらをおそうじシートでふく。

便座のうら側は特に汚れるから忘れずにふこう！

3 床

床全体をおそうじシートでさっとふく。

便器と床とのさかいめは、ていねいに！

4 壁

特に腰から下の部分をおそうじシートでふく。

※上の方は月1回くらいでOK。おとなの人にお願いしよう。

トイレのマナー

家族みんなが使う場所。次の人への思いやりを忘れずに。

1 おしっこのハネが汚れの原因！ 立ってする男子は特に気をつけて。なるべく汚さないように使おう。

2 汚したら、汚した人がすぐにふきとろう！ 自分でできない時は、おうちの人をすぐに呼ぼう！

3 フタを閉めてから流そう。汚れが飛びはねないよ。

4 フタは閉めておこう。※暖房便座の節電にもなるよ。

※暖房機能のない便座もあります。

家族でキレイに③

おふろ場のそうじ

“汚れやすい”というイメージのおふろ場。でも、毎日キレイに使えば、あとは汚れがたまりやすい場所を定期的にそうじすれば大丈夫！　洗剤を使うそうじはおとなの人といっしょにやってね。毎日のそうじは家族みんなでやっていこうね。

おふろ場でそうじが必要な場所

毎日家族でがんばろう！

1. 浴そう
2. 床
3. 排水口

週1回
※洗剤を使うので、おとなの人とやろう。

4. 浴そうのフタ
5. ドア
6. 鏡
7. イスや洗面器など

1～2か月に1回
※高くて難しい場所だから、おとなの人がやろう。

8. シャワーヘッド
9. 天じょう
10. 換気せん

毎日のそうじ

毎日そうじすればそんなに汚れないよ。一番最後の人が、お湯をぬいた後にやるといいよ！

用意するもの

- スポンジ
- ブラシ

1 浴そう

①全体にざっとお湯をかける。
②スポンジでこする。
③最後にシャワーで洗い流す。
※ゴムせんなどに汚れが見えたら、ブラシでこすろう。

2 床

黒ずみが目立ってきたら、洗剤をつけて、ブラシでこすろう。
※洗剤を使うそうじは、おとなの人にお願いしよう。

石けんやシャンプーが残らないよう、よく洗い流そう。

3 排水口

フタをはずし、髪の毛やごみを取って捨てよう。

入浴後のマナー

家族みんなが使う場所。次の人への思いやりを持って、マナーを守ろう。

1 出る時は、使いっぱなしはNG！浴そうのフタを閉め、必ずイスやタオル、シャワーヘッドは元に戻そう！

2 ぬれたままはカビの原因！出た後は必ず換気をしよう！

家族でキレイに④ 洗面所のそうじ

毎朝、毎晩、家族みんなが使う洗面所。毎晩、歯みがきの後で、家族交代で当番を決めるなどして、そうじをすませちゃおう。

洗面所でそうじが必要な場所

1. 洗面台
2. 歯ブラシなどの置き場
3. 排水口
4. 鏡
5. 床

毎日家族でがんばろう!

用意するもの

- スポンジ
- いらない布
- マイクロファイバーの布

毎日のそうじ

1. **洗面台** 洗面ボウルや蛇口などをスポンジでこすって、水で流したら布でふく。

2. **コップや歯ブラシ** 洗ってふいて整える。
3. **排水口** 髪の毛やごみを取って捨てる。
4. **鏡などの光るところ** マイクロファイバーの布でふく。
5. **床** モップや布でからぶきを。

洗面所のマナー

家族みんなが使う場所。次の人への思いやりを持って、マナーを守ろう。

1. **洗面台の上や、壁に飛びちった水をそのままにしておくのはカビの原因。"できるだけキレイに" を心がけて、飛びちった水は布ですぐにふいておこう。**
2. **使ったコップや歯ブラシは、すすいで元に戻しておこう。**

家族でキレイに⑤

食器洗い&片づけ

料理を作ってくれた人に、洗うのもしまうのも全部お任せになってない？
毎日することなので、家族みんなでやるようにしよう。

※洗剤は手が荒れることがあるのでゴム手袋をはめて洗おう。

食器洗いのやり方

1 ソースや油汚れを、ティッシュやキッチンペーパーでふき取る。

2 食器を洗う。

①スポンジに洗剤をつける。
②食器を洗う（うらもね！）。
③水やお湯ですすぐ（うらもね！）。

3 食器をふきんでふく。

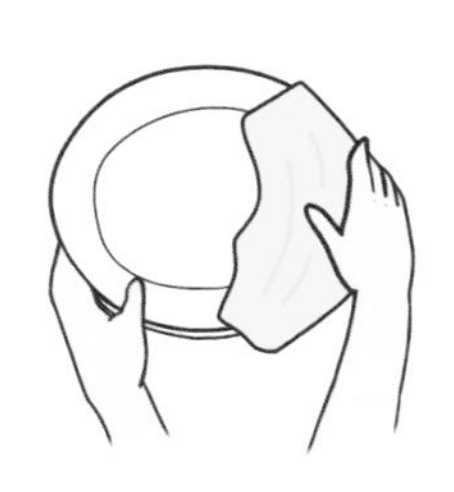

4 元の場所にしまう。

食後のマナー

必ずやるように心がけてね。
せめて自分が使った食器ぐらいは、自分で流しまで運ぼう！

家族でキレイに⑥

窓ふき&床そうじ

特に洗剤も必要ないので、高いところや重い物を動かすのはおとなの人にやってもらい、それ以外は家族で分担してやってみよう。

窓でそうじが必要な場所

① 窓ガラス ― 週1回

② サッシ
③ あみ戸 ― 1～2か月に1回

床そうじが必要な場所

① リビング
② 台所
③ ろうか ― 毎日

① 窓ガラス

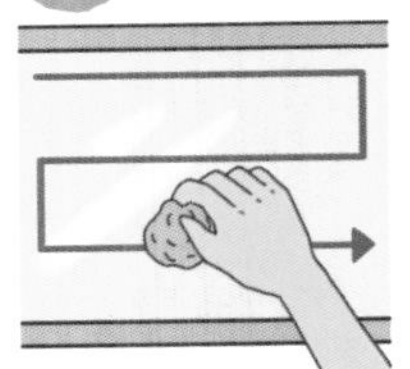

丸めた新聞紙をぬるま湯でぬらし、上から下に左右に動かしながら、ガラス面をこする。その後乾いた新聞紙を丸めて、同じようにこすっていく。

② サッシ

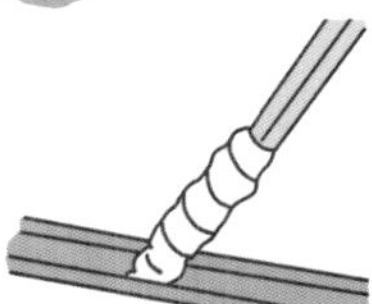

細く切った布を割りばしなどのぼうに巻きつけ、サッシのみぞをふいていこう。

③ あみ戸

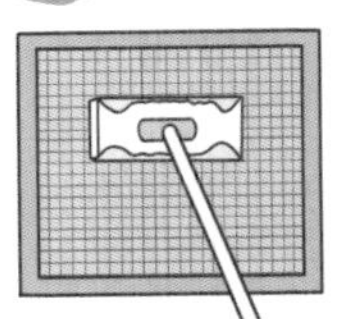

フローリング用のモップにウエットシートをつけて、上から下へとふいていこう。

※モップが重たい時は、おとなの人とやろう。

みんながひんぱんに出入りするところは、床全体にそうじ機をかけよう。

- 動かせる物はなるべく動かそう。
- ドアのうらもほこりがたまるので、閉めた状態でもそうじ機をかけよう。
- 部屋のすみはほこりがたまりやすいので、しっかりと!

フローリングの床には、フロアモップでふきそうじをしてもいいよ。

せっかくキレイにしたのに…

リバウンド・チェックリスト

キレイになったからと、その後の片づけやそうじをサボっていたら、あっという間に"リバウンド"して元の状態になっちゃうよ。下の項目で当てはまるものは、□に✔を入れていこう。チェックが入ったところは、リバウンドの可能性大！　すぐに片づけ&そうじを始めよう。

自分の部屋

- □ 床や机の上に出しっぱなしの物がいくつかある。
- □ 物がいっぱいで閉まらない引き出しがある。

玄関

- □ げた箱に入りきらないくつがある。
- □ げた箱の上が、物であふれそうになっている。

トイレ

- □ 便器の中に黒ずみがある。
- □ 床のすみに、ほこりがたまっている。

おふろ場・洗面所

- □ 鏡に水アカがついて、よく見えない。
- □ 排水口の流れが悪くなった。

窓・床

- □ 1か月以上、窓ガラスをふいていない。
- □ 物が置いてあって、1か月以上、そうじ機をかけていないところがある。

そうじや片づけは、時にはサボってもOK！　無理なく続けられるよう、ペースをつかんでね

キミはやってるかな？

自分のこと編 Yes・Noクイズ

次の10問。やっていたらYes、
やっていなければNoの□に✔を入れてね。

Q1 食べた後、自分の食器を下げる。

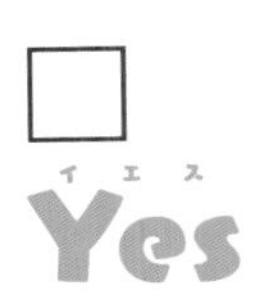

Q2 食べた後、自分の食器を洗う。

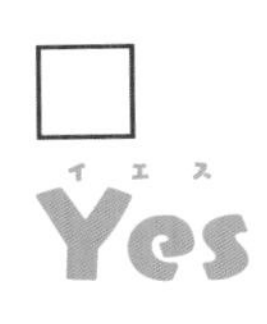

Q3 食べたおかしの包装は、ごみ箱に捨てている。

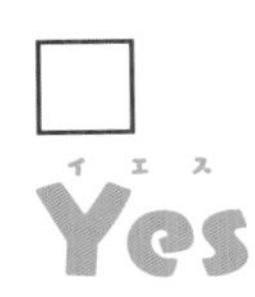

Q4 食べたべんとう箱を、帰ったらすぐ自分から洗い場に持っていく。

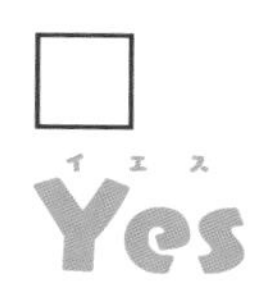

Q5 ぬいだ服は、洗たく物入れに入れる。

Q6 洗たく物を取りこむ。

※高いところにほしてある場合は、あぶないのでやらなくてOKだよ。

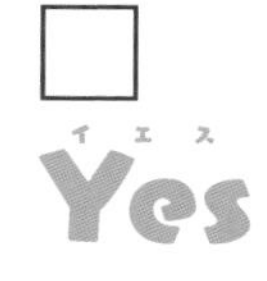

Q7 乾いた自分の服をたたんでしまう。

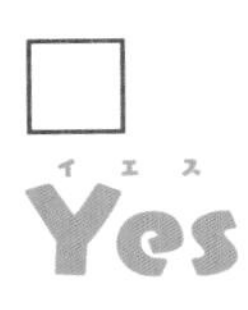

Q8 ぬいだくつをそろえる。

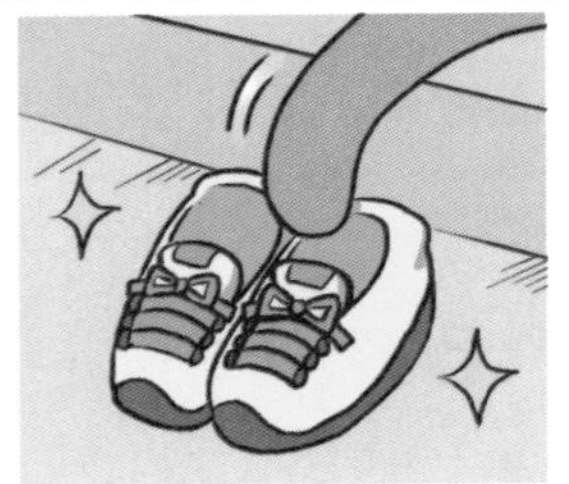

Q9 遊んだおもちゃは片づける。

Q10 体操着や給食袋。学校から持って帰ってきたら、その日に出す。

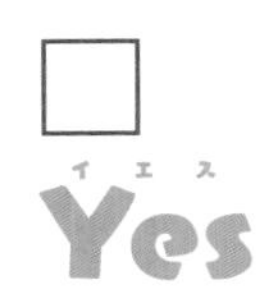

No

このクイズ、
3問以上Noがあった人は
アウト!

え～っ

鉄則

Do it yourself!
=
自分のことは自分でやろう!

これ 基本だから
年は関係ないから
今日からがんばろうね

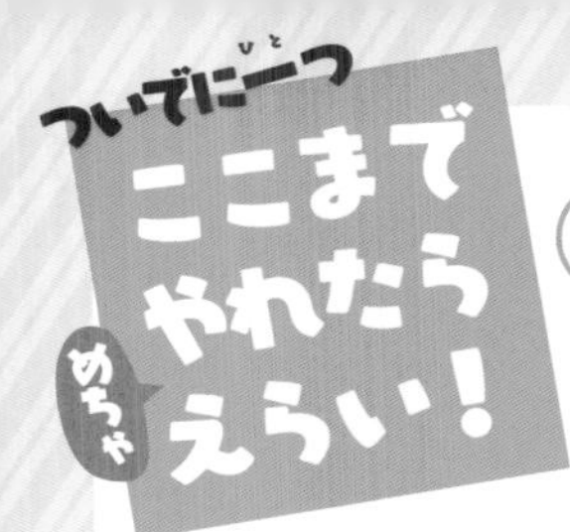

だって家族だから編 Yes・Noクイズ

次の5問。やっていたらYes、
やっていなければNoの□に✔を入れてね。

Q1 おふろそうじをやっている。

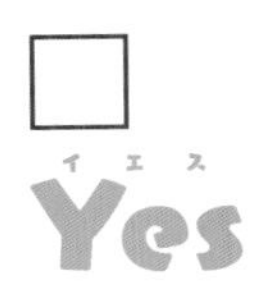

Q2 トイレそうじをやっている。

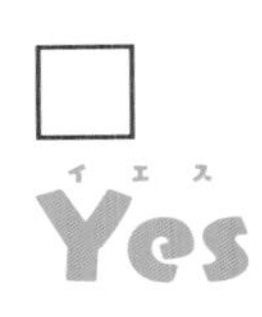

Q3 玄関のそうじをやっている。

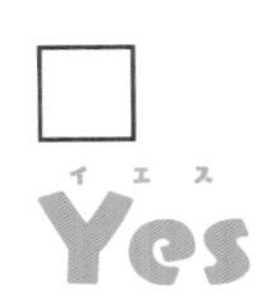

Q4 自分の部屋以外の窓ふきをしている。

□ Yes

□ 

Q5 家族みんなの食器を洗う。

□ Yes

□ 

一つでもYesだったらエライ！ みけたちはどうかな？

ただいま～！

キチーーン

プリントはリビングの
プリントボックスに
入れて…と
スイ

使い終わったら
そのミニタオルで
水飛んだとこふいてね
ボクもふいたけど
もーーっ
わかってるって！
水アカはためない!!
ソープ
みけ

さてと
夕飯前に
算数の宿題
片づけ
ちゃおうか
前は机の上を
片づけるところから
スタートでやる気が
起きなかったけど
今はすぐ
取りかかれるから
やる気が落ちない
よね～
いや ボクは
すぐに
取りかかれて
たけどね？
…
バリバリ

ただいま～

ありがとう
宿題は?
おかえりママ！
夕飯のお手伝いするよ！
お仕事おつかれさま！
おわった!!

オレは
ママの服も
しまうゾ
はーい！
お父さんと3匹は
たたんだ服を
自分の収納ケースに
入れてね
あたしは
たたむ係
ニケ
とら
いちごミルク

これからは
家族みんなで協力して
おうちを暮らしやすく
していくよ！　ママ！
みけから
そんな言葉を
聞けるなんて
～～～～っ！
ブワワッ！
うん うん
So HAPPY…♡

ごはんですよ～
は――い!!
洗たく物も片づけられて
出しっぱなしの物がない
お部屋で食べる食事…
ママ感激すぎるわ～！
よよよよ～～
苦労かけてたな ママ…

まとめ

さあ、これでみけの部屋も、家族のスペースもキレイになったね。

おさらい 1

片づけの法則は

0 ルール を決めたら…

1 

自分のことは自分でやろう！

やってきたことのおさらいをするよ！

全だわし

2 わける　3 しまう

あとはひたすらこのくり返し！

おさらい 3 家のそうじは家族みんなで分担&協力を！

教えてキネコ先生！ 2

Q

しまう場所がなくて、床に置くしかないんだけど、こういう時はどうしたらいいの？

A

物によっては、床置きもあり。ただし、置き場所はしっかり決めておこう

床置きをすると、どんどん場所がなくなるし、その状態が当たり前になっていくので、部屋はあっという間にちらかります。

とはいえ、床に置かざるをえない物もありますよね。たとえば、重たくて、棚に置けない物。みけのダンベルとかね。大きくて収納場所に入らない物も床置きはありです。

ただ、どこに置くか、場所はしっかり決めておきましょう。収納スペースとして場所を区切り、そこにいつも置いておくこと。そうすれば、部屋がちらかっていくこともありません。

Q

毎日の片づけのほかに、大きい片づけって、どのタイミングでやればいいの？

A

季節で洋服を入れ替えたり、学期が変わる時がいいチャンス！

洋服ダンスや本棚などの大きい物の片づけは、一度やってしまえば、そんなに物が入れ替わることはないので、ひんぱんにやる必要はありません。「出したら、元の場所にしまう」だけを毎日やっていれば、大丈夫！

ただ、季節が変わると着る洋服も変わるし、持ち物も変わってくるでしょう？　学年が変わる時も同じ。そういう節目の時に「全だわし」をすれば、着られなくなった洋服でタンスがいっぱい！…なんてことにはならないはずです。

6章

みんなも理想の部屋にアレンジ！

みけちゃん
クッキー
今日は
よろしくね
おじゃまします〜す!!
こんにちはー！

まなぶくんと
めがねこちゃんも
来てくれてありがとう
どういたしまして
みんなっ
ようこそ
わが家へ！
いらっしゃ〜い！
ウェルカム♥
はしゃぎすぎ…

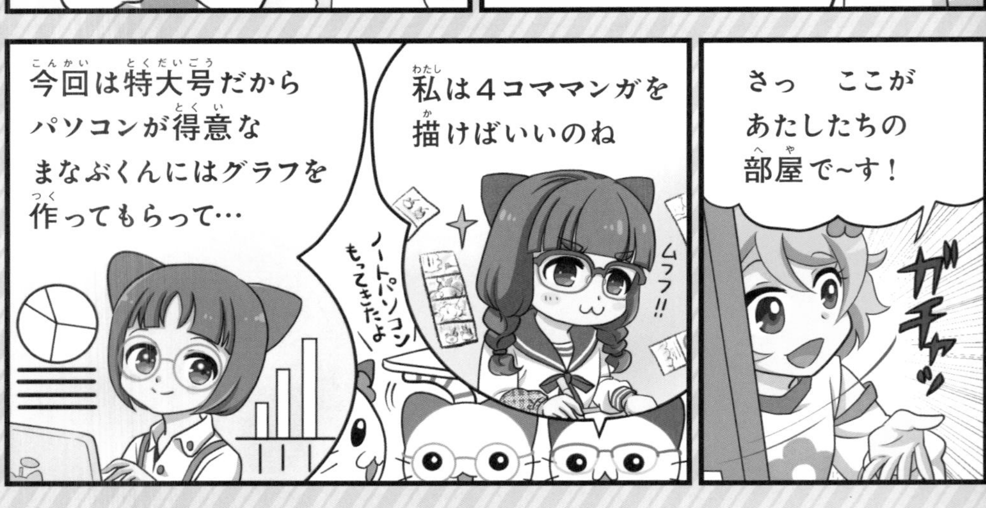
さっ　ここが
あたしたちの
部屋で〜す！
ガチャッ
私は４コママンガを
描けばいいのね
ムフフ!!
ノートパソコン
もってきたよ
今回は特大号だから
パソコンが得意な
まなぶくんにはグラフを
作ってもらって…

!!
うわぁ〜!!!

そうじも行き届いていてすごいね 尊敬するよ！
おシャムくん…♡
そ、それほどでも〜♡

わ〜っ
お二匹のお部屋すごくキレイですね！
うんうん
へ〜っ
趣味の物は一か所にまとめてるのね なるほど
キチーン

わ〜っ!!
前に遊びに来た時はたしかこんな…
もやぁ〜
ごちゃあ…
たったまちゃん！（小声）
思い出さなくていいから!!

みけちゃんがんばったんだね
エヘヘ♡
見ちがえるくらいキレイになってる！

それにしても
どうやったら
こんなにキレイに
片づけできるの？
？
うん
それはね
他にもいろいろ
キネコ先生に
教わったんだよ
「全だわし」？
何それ？
フンフン…
へえ～
なるほど
えっ何なに？
私も知りたい！
ボクも
教えて～
実はね… ぼくも
自分の部屋のことで
悩みがあるんだ
実は私も…
まさむにゃグッズが
増えすぎてて…
ぼくも！
私も～！
オシャムくんが!?
意外!!
みんな悩んでたの!?
それならみんなも
キネコ先生に
部屋の片づけ方を
アドバイスして
もらうといいよ！
悩みがそれぞれ違うし
わーい
ぜひ
お願いしようよ！
後日
悩める子猫たち～！
みんなのお悩みに
お答えしますよ～！
ピンポーン
ホントにたわしもってる…!!

Before

おシャムくんの部屋

希望

勉強と習い事、はっきり分けたい。

キネコ先生が解決！

持ち物も分けて、しまう場所も分ける「共用」するのはやめましょう

両方に使う物でも、使いまわしをしていると、どれがどっちに使う物かわからなくなったり、持っていくのを忘れてしまったりするので、「共用」使いはやめて、「専用」を作りましょう。専用を集めた収納コーナーを作れば、すっきり分けられますよ。

After

たとえばふで箱も、「勉強用のふで箱」と「習い事用のふで箱」を別に用意。

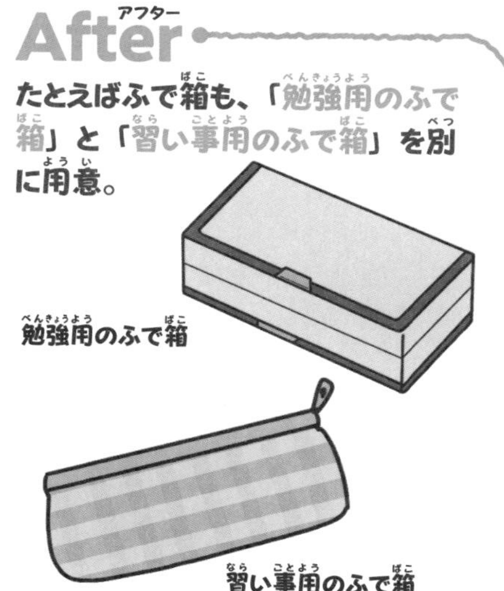

After

たとえば部屋に習い事コーナーを作る。

Before

めがねこちゃんの部屋

希望

オタクなの。趣味の物が多いの。でも、捨てたくない。好きな物を大切にして過ごしたい。

キネコ先生が解決！

部屋に置ける総量は変えられないので、趣味以外の物をへらしましょう

趣味の物を捨てたくないなら、捨てなくていいの。代わりに他の物をへらしましょう。

After

たとえば、洋服ダンスの1段を、洋服をへらして趣味の物の収納棚に！

After

趣味の物が部屋の半分＝5割をしめるなら、他が5割におさまるよう「分ける」を強化！

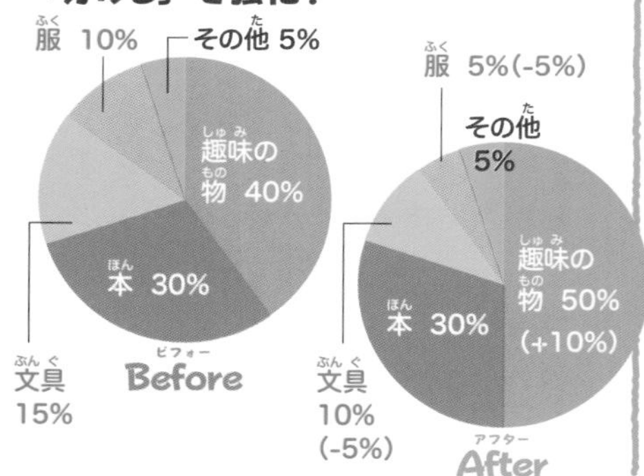

Before

たまちゃんの部屋

希望

きょうだいいっしょの部屋。ごちゃごちゃしないようにするには？

キネコ先生が解決！

下の子が自分で片づけられるように、どこにしまうのか、はっきりわかるようにしましょう

きょうだいが自分の物を自分でしまうことができれば、物が入りまじらないよね。そのためには、小さい子でもしまえる工夫をすることです。

After

たとえば、妹のコーナーを作る。

After

しまう場所に何を入れるのかがわかるように、ラベルをはる。

文字が読めない子には、入れる物のイラストや写真をはるといいよ。

Before

まなぶくんの部屋

希望

中学受験に向けて勉強中心。でも、たまにはやすらぎたい…。

キネコ先生が解決！

勉強以外の物はまとめて収納。ただし、部屋の片すみに小さな「お気に入りコーナー」を作ってみては？

目に見えるところに置くとつい遊んでしまうので、勉強に関係ない物は見えないところに置くのがオススメ。ただ、ストレス解消のための「お気に入りコーナー」を用意してね。

After

勉強以外の物は、ギュッとまとめて見えないところにしまっておこう。

After

部屋の目立たないところに、好きな物を集めた「お気に入りコーナー」を作る。（たまに息ぬきにながめると心がやすらぐよ）

自分の趣味を生かしたり、「こうしたい」と思う気持ちはとても大事。

だから…

自分の気持ちを優先した片づけルールを作りましょう！

自分の部屋なんだから、自分の好きなようにルールを決めていいんです。そうすれば、気持ちよく楽しく過ごせます！

プチブレイク

ちょこっと風水でワクワクアップ カラー編

赤 運気を活性化！

赤は「火」の気を持っている色なので、**運気**を活性化させると言われているよ。「人気者になりたい」「積極的に行動したい」などと思った時は、洋服や文具など身のまわりに「赤」の物を取り入れるようにしよう。

黄色 金色 金運をアップ！

黄色や金色は「**金運**」をアップさせると言われているよ。「ほしい物を買いたい」「お年玉がたくさんほしい」などと思った時は、カーテンや布製品に黄色・金色を取り入れよう。中でもサイフは効果あり！

青 友だち運＆コミュニケーション運をアップ！

青は「水」の気を持っている色で、**友だち運**や**コミュニケーション運**を上げると言われているよ。ただ、「水」だけに、使いすぎると「運が冷える」とも言われているので、取り入れる量には注意してね。

紫 インスピレーション力がアップ！

紫は「火」の気を持っている色で、**インスピレーション**や**感性**、**高貴さ**を表すと言われているよ。直感がさえたり、創造力が高まったりするので、何かを作る時は、ぜひ取り入れるようにしよう。

※風水とは…身のまわりの環境を整えて運を呼びこむ、中国4千年の知恵がつまった開運法。

風水をちょっと生活に取り入れるだけで、運気が高まるよ。まずは取り入れやすい「カラー（色）」について。身のまわりの物の色を意識してみよう。

ピンク ラブ運をアップ！

ピンクは「火」の気を持つ色で、**なごやかな人間関係**を作り、**コミュニケーション力**をアップさせると言われているよ。中でも柔らかくて明るいピンクは**ラブ運**を高めるので、洋服や小物に取り入れよう。

緑 健康運をアップ！

緑は「木」の気を持っている色なので、**成長運**や**健康運**を上げると言われているよ。いやしの効果もあるので、「つかれたなあ」と思ったら、部屋にどんどん緑の物を取り入れていこう。

白 体調をリセット！

白は、**周囲の気**を浄化させたり、リフレッシュさせたりする効果があると言われているよ。体調や運気がリセットされると、良い気も吸収しやすくなるので、つかれを感じたら、緑と合わせて上手に取り入れるようにしよう。

黒 悪いものをはらい、守りを固める

どんな色の影響も受けない黒。**邪気をはらい、守りを固める**色と言われているよ。たとえば、サイフを黒にすると、お金のムダづかいがなくなるけど、入ってくるお金も少なくなるそう。何をしたいのかよく考えて、取り入れてね。

プチブレイク

ちょこっと風水でニコニコアップ インテリア・そうじ編

玄関

玄関に生花を飾ると、笑顔な毎日になるよ！

玄関は気の入り口で、家の中でも最も重要な場所だと言われているよ。ここに生花を飾ろう。生花が良い気を高め、悪い気を吸い取ってくれるんだ。生花の他、観葉植物もOK。ドライフラワーや造花はきれいだけど、生き物の方がいいと言われているので、さけた方がよさそう。

まくら

まくらを北に向けて寝ると、「陰」の気を流してくれるよ！

日本では北まくらは縁起が悪いと思われがちだけど、風水では北まくらで寝ることは運気が良いとされているよ。なぜなら、人間は寝ている間に、北から南に向かって流れるエネルギーを吸収するから。また、まくらを北向きにして寝ると寝室に溜まりすぎた「陰」の気が適度に洗い流されて快適な生活空間になると言われているよ。

机

机は東の方角に。集中力がアップするよ！

東は太陽がのぼる方角なので、木の成長を連想させる「若さ」や「発展」の効果があると言われているよ。この東の方角に机を置くと、勉強する時もエネルギーを受けて、集中力がアップ！　やる気も高まるので、部屋の片づけと合わせて位置を変えてみてもいいね。

部屋のインテリアやそうじについて、置く場所をちょっと意識したり、そうじをしたりして、上手に取り入れてみよう。

お気に入り

部屋にお気に入りばかりを飾るコーナーを作ると、そこから良い気が流れるよ！

風水は「気」が大切。自分のお気に入りの物を見ていると、幸せな気持ちになるでしょう？　幸せを感じる物は、良い気を運んできてくれるので、部屋にお気に入りを飾るコーナーを作ってみよう。いつもながめる場所に作るのがポイントだよ。

音が出る物

音が出る物は、東から東南の方角に。勉強運がアップするよ！

風水では音の出る物は、気を活性化すると言われているよ。空気が振動するので、気が刺激されるというんだね。東や東南の方角は、発展運や勉強運を高めてくれるので、音の出る物や情報機器は、東側に置くようにしよう。いい知らせや情報がスムーズに入ってくるようになるよ。

トイレやリビング

家族みんなが使うトイレやリビングのそうじで、金運と健康運がアップ！

風水では部屋の中で悪い気を放つものを取り除くことが大切と考えられているんだ。ほこりやごみは悪い気を放っているので、そうじをすると良い気が集まってくるよ。トイレは金運、出世運、リビングは家族運、健康運に関係する重要な場所。家族仲良く、幸せに過ごすためにも、こまめにほこりは取ってね。

\ 教えてキネコ先生！ 3 /

Q テストなどのプリント類って、すぐに増えるし、バラバラするし。どうやって片づければいい？

A クリアファイルとラベルを上手に使おう

次から次と学校から配られるプリント類。他の物にまぎれこみやすいので「あれ、どこいった？」とひたすらさがし続けたり、提出し忘れたりしちゃうことってあるよね。
そんなプリント類を整理するには、下の①〜⑤の種類別に分けるのがオススメ。

①常に見るべきプリント・・・学校のスケジュールや月間予定表など。ファイルしたり壁にはっておこう。
②提出期限のあるプリント・・・いつまでに持ってくるように、などと提出期限のあるプリントはとても重要！　自分で持っていかなければいけないものは、クリアファイルに入れて置いたり、目につくところにはっておこう。
③イベントや行事などのお知らせプリント・・・イベントや行事の詳しい情報が書いてあるので、とても大事なプリント。行事が終わるまでは目につくところに。終わったら処分しよう。
④おうちの人にわたすプリント・・・重要な物が多いので、もらったらその日のうちに、必ずおうちの人にわたそう！　出欠などの提出物は書いてもらったらすぐランドセルへ。
⑤単なるお知らせプリント・・・①〜④以外の、単なるお知らせが書いてあるもの。ファイルしておこう。

重要なプリントは、目につくところにはっておき、そうでないものは、種類ごとにファイルしよう。クリアファイルは中が見えるし、内容をラベルに書いてはると、よりわかりやすいよ。ファイルを置く場所も決めてね。

7章

収納グッズ 手作りしちゃおう

収納グッズデザイン・制作：はっとりみどり

引き出しの中の小物入れや仕切りつきの入れ物。自分でカンタンに作れちゃうよ。自分だけのステキな収納グッズを作っちゃおう！

ペン立て

牛乳やお茶の紙パックに折り紙や布をはるだけでできちゃうカンタンペン立て。ちょっとした小物入れにも使えるよ。

用意するもの
- 牛乳などの紙パック（1000㎖）
- 折り紙や布
- はさみ
- のり

1

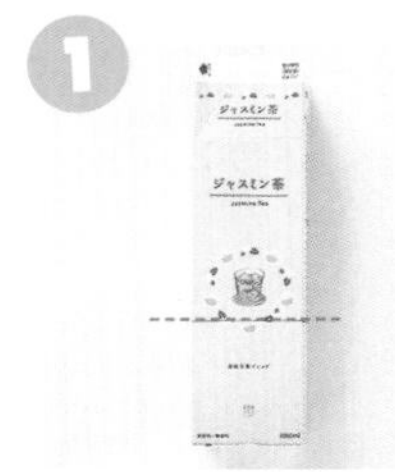

紙パックを好きな長さにはさみで切る。

2

側面の2面にのりをぬる。

3

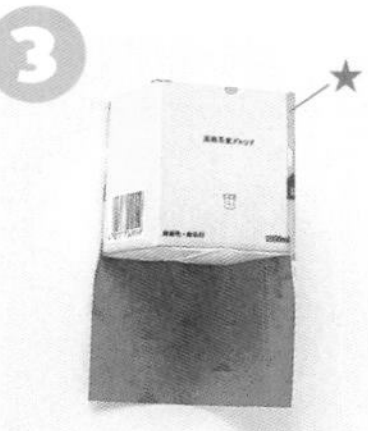

底側にはみ出すように折り紙をはる。はじを少し残して折りこみ、のりではろう。（★）

4

残りの2面にのりをぬったら❸と同じように折り紙をはる。

5

はっていない部分の折り紙の四隅をはさみで切る。

6

1面を残し、残りの3面を長さ半分くらいに切る。

7

3面を折りたたみ、のりではったら、カットしていない1面をはりつける。

ひっくり返してできあがり！

ふちにマスキングテープをはると切り口がキレイだよ。（149ページも見てね）

仕切りつき小物入れ

**3つに仕切られていて
下着やくつ下などを入れるのに
とっても便利！
かわいい布や折り紙をはって、
かわいくしちゃおう！**

用意するもの	●牛乳などの紙パック（1000㎖）2こ ●はさみ ●セロハンテープ

1 ＜外箱＞

紙パック1こを用意。

2

長い面をはさみで切り取る。

3

口の部分を開いて、角をはさみで切る。

4

向かい合わせの面をセロハンテープでとめる。

5

残った面をセロハンテープでとめれば、外箱のできあがり。

6 ＜中の仕切り＞

底は切らなくても、折ればつぶれるよ！

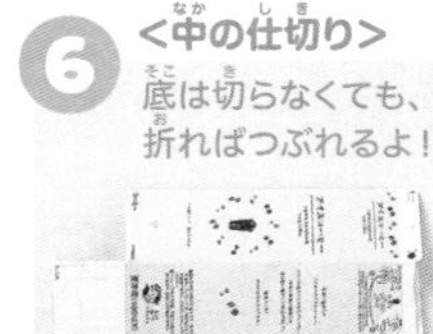

別の紙パックを用意。口は開いてつぶしておく。

7

口の部分をはさみで切り取る。

8

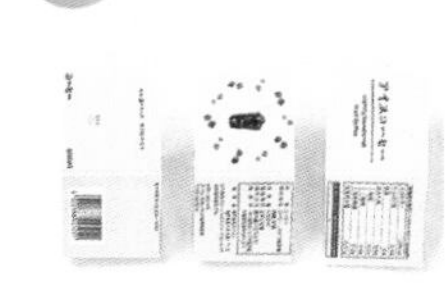

3つにはさみで切り分ける。

9

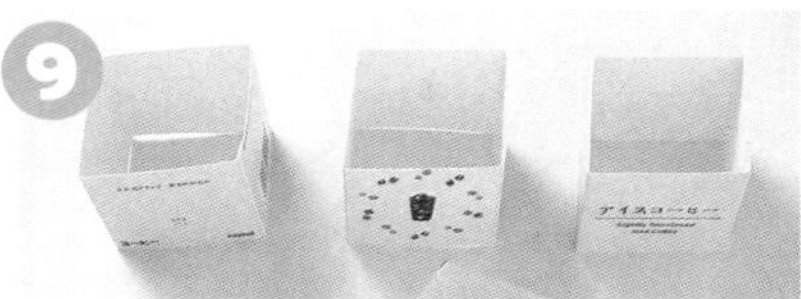

底のない2つを⑤の外箱にはめる。底のついているものはペン立てや小物入れに！

できあがり！

＼布や折り紙をはるとキレイだよ！／

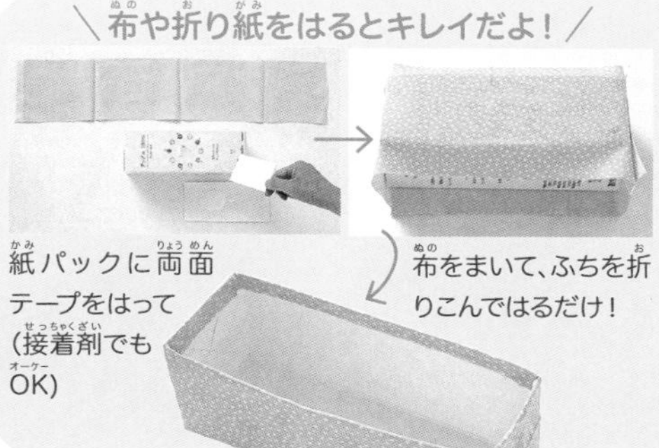

紙パックに両面テープをはって（接着剤でもOK）

布をまいて、ふちを折りこんではるだけ！

仕切り箱

紙1枚で作れちゃう！　紙の大きさで、いろんなサイズの箱ができちゃうよ。ただし、収納スペースを大きくしたいなら、長方形の紙の方がオススメ！

用意するもの	●紙（ここではA4サイズを使用）

1

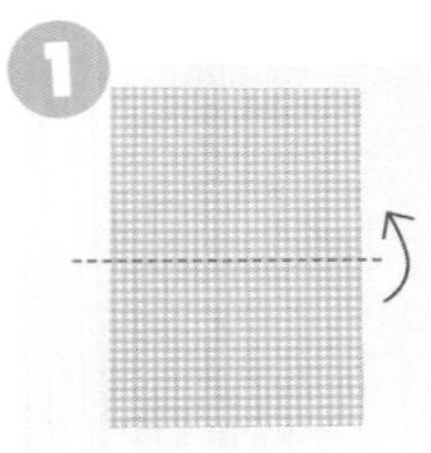

紙を用意する。

2

半分に折る。

3

一度開き、下を半分に折る。

4

上も半分に折る。

5

さらに、下と上を半分に折ってから広げる。

6

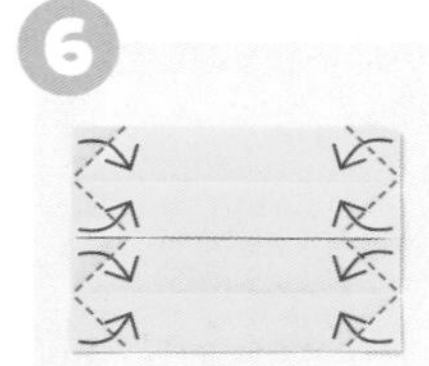

四隅と中の部分を内側に三角に折る。（点線の部分）

7

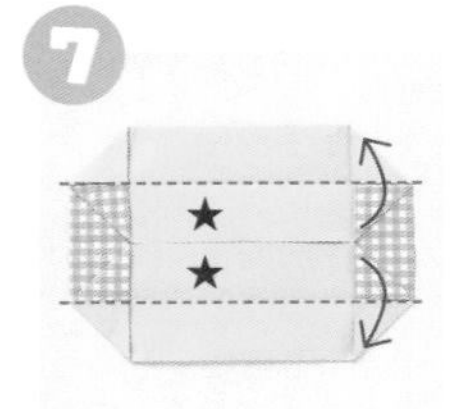

★がついているところを外側に開いて折る。

8

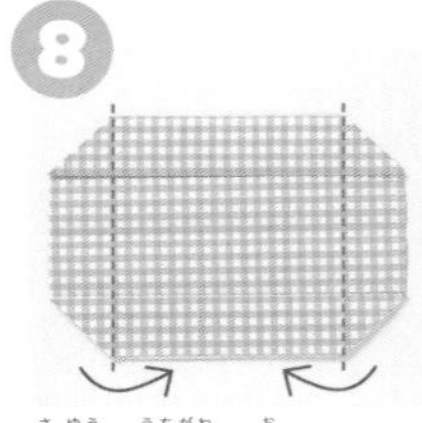

左右を内側に折る。

9

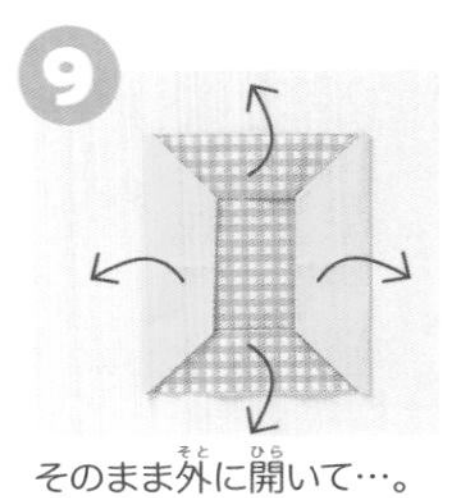

そのまま外に開いて…。

10

立ち上げていくと箱になるよ。

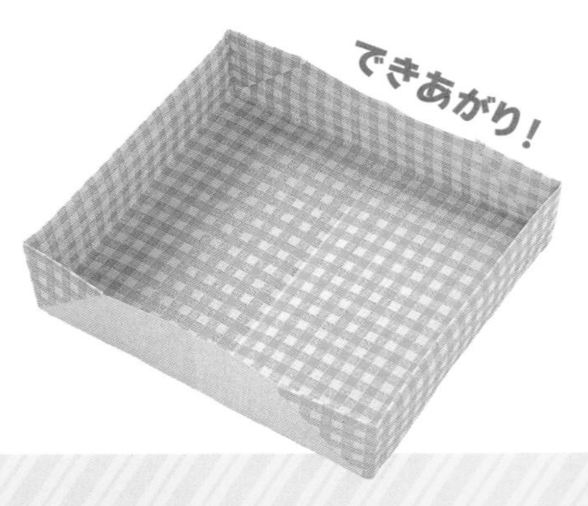

ダンボール箱でいろんなBOXを作ってみよう！

ダンボール箱を同じ高さに
カットするだけ。ならべ方で、
いろんな収納BOXが作れるよ！
カッターを使う時は、
おとなの人に手伝ってもらおう。

ふたごBOX 2種

用意するもの
- ダンボール箱
- 粘着テープ
- カッター

1 ダンボール箱の開いているところをテープで閉じる。

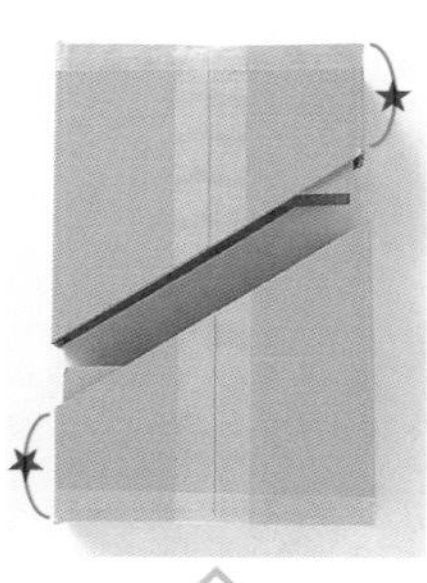

2 ★の長さが同じになるように、全体をカッターでななめにカット。

A 背中合わせタイプ

3 横ならびにテープではれば・・・

B 横ならびタイプ

段ちがいBOX

カンタンに便利な
段ちがい収納BOXが作れるよ！

用意するもの
- ダンボール箱
- 粘着テープ
- カッター

1

ダンボール箱の開いているところをテープで閉じる。

2

★の長さが同じになるように、全体をカッターでななめにカット。

3

余分な部分があれば、そこもカッターで切り取る。

4 同じ長さの面をテープではれば・・・

ダンボール箱はかたいので、
カッターを使う時は、
必ずおとなの人に
手伝ってもらおう

カッターや紙で
指を切らない
ように
注意してね！

布やマスキングテープを使って、ステキなBOXに仕上げよう！

切りっぱなしの切り口で指を切らないように、切り口にマスキングテープをはったり、色紙や布をはったりして、オリジナルBOXにしちゃおう！

色紙をはって…

1 色紙の上にダンボールBOXを置いて、その面の形にはさみでカット。

2 切った色紙をBOXにのりではる。他の面も同じようにする。

ふちにマスキングテープをはるとステキなBOXに！

3 四隅にマスキングテープをはっていく。

4 最後にカッターで切った切り口にマスキングテープをはる。

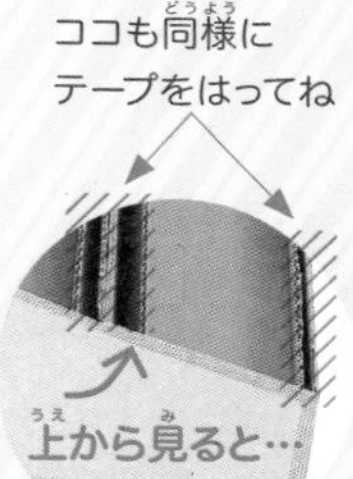

さらに…

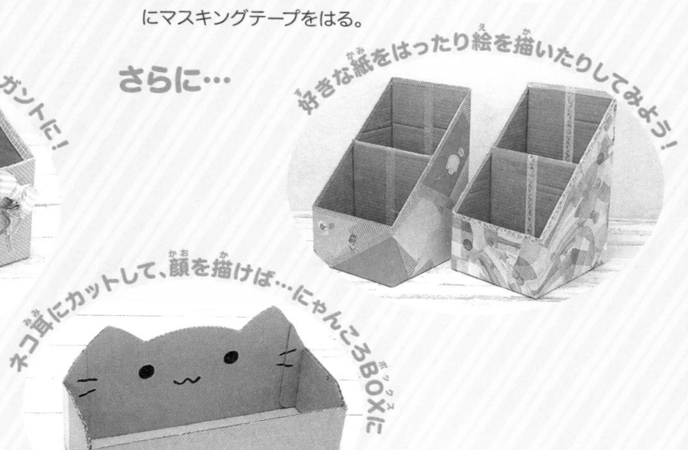

教えてキネコ先生！ 4

Q 収納BOXのような収納グッズは、いつ、どんな基準で選ぶの？

A 用意するなら片づけ後！ でも、収納グッズはなるべく買わないで！

片づけでやりがちなのが、片づける前に新しい収納グッズを買ってしまうこと。この本の中でも、片づけ前に収納グッズを用意するのはNGと書きました（40ページ）が、それは、いる物といらない物を仕分けする前なので、持ち物の全体量がわかっていないから。また、収納グッズを置くと、その分は物が入れられると安心して逆に物が増えてしまいがちです。学年が変わると必要な物も変わるし、中学校、高校と進めば、使う物はもっと変わっていきます。だから収納グッズはなるべく買わずに、**①今ある物を利用する、②処分しやすい物を使う**、これがオススメです。

Q かわいい収納BOXができた！お気に入りで一生大事に使いたい！

A 紙製収納BOXは定期的に作り替えを

7章で紹介した「手作り収納グッズ」は、紙やダンボール製なので、処分もカンタン、左のQ&Aの収納グッズの条件にぴったりです。ただし、ダンボールは時間が経つと、湿気でふにゃふにゃになったり、カビが生えたり、紙につく虫がわいてきたりするので、一生物ではないことをお忘れなく。収納箱を手作りすると愛着もわくけれど、同じ物をずっと使い続けるのはNG。定期的に新しい物に作り替えながら上手に利用してね。

お気に入りの収納BOX
でも一生は住めないにゃ〜
定期的に新居に引っ越しさせてにゃ

8章

保護者の方へ

監修の先生方の対談のページです。ぜひご一読ください。

おうちの人が読むページだよ！

～おうちの方へ～
片づけができる人になるために

こんなケース… 心あたりはありませんか？

みけママさんは
お勤めあるのに
おうちをキレイに
保っててすごいわ

とんでもない！
勤め始めたら
家がもう
すごいことに
なってましたよ

わかります
私も仕事で
海外にいることが
多いので…

それじゃあ
どうやって
ここまで
キレイに？

プロの先生に
片づけ方を
教えてもらって

そしたら子どもたちが
自分の部屋だけじゃなく
家の片づけも手伝うように
なってビックリ！

まあ すごい！
あ そういえばうちもね…

日当たりのいい2階を
子ども部屋にしていた時は
子どもたちがいつも
玄関にランドセルを
置きっぱなしにしてて…
くつもぬぎすて

それならと
玄関のすぐ横の部屋を
子ども部屋にしたら…
ただいま─っ
ランドセルを持っていく
ようになったのよね

階段を上がる動作が
めんどうだったってわけ
わらっちゃうわね
そうか
すぐしまえる場所に変えたり
部屋の場所を見直したり…
子どもの片づけは
片づける動作が多いと
失敗しやすいみたい
ちょっとした工夫で
片づけられるように
なるのね
なるほど〜

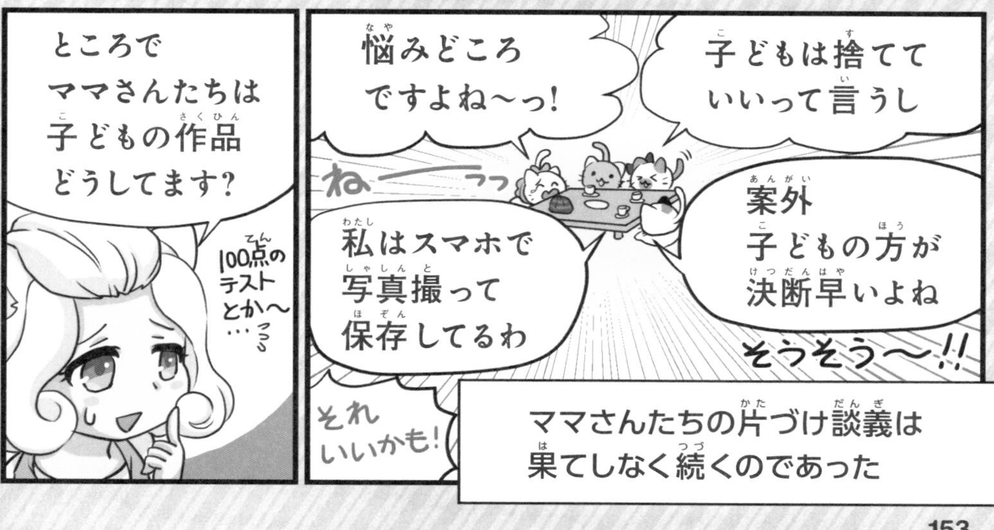
ところで
ママさんたちは
子どもの作品
どうしてます?
100点の
テスト
とか〜
…っっ
悩みどころ
ですよね〜っ!
子どもは捨てて
いいって言うし
ね───っっ
私はスマホで
写真撮って
保存してるわ
案外
子どもの方が
決断早いよね
そうそう〜!!
それ
いいかも!
ママさんたちの片づけ談義は
果てしなく続くのであった

対談

本誌で片づけのプロとして登場している「キネコ先生」のアドバイスには、監修の南美佳先生のご意見も入っています。二人の片づけ専門家が合体したのが「キネコ先生」です。

教えて！ 南先生＆キネコ先生

どうしたら子どもが自分で片づけできるようになるの？

実際にいろいろなご家庭を訪問して片づけの問題を解決されている整理収納アドバイザーの南先生とキネコ先生に、どんなお悩みが多いのか、子どもが片づけるようになるポイントをうかがいました。

片づけはその子の個性。「こだわりと好き」を尊重して

片づけで悩まれているご家庭はとても多いです。お子さんがいらっしゃるご家庭だと、「片づかないのは子どもがちらかして…」と皆さんおっしゃるのですが、大抵は親御さんご自身が片づけがニガテというのがほとんどではないでしょうか。

そうですね。ご自身ができないからお子さんに片づけ方を教えられない。「片づけなさい！」しか言わずに怒っている方は、ほとんどこのケースです。もうひとつ、原因で多く見られる

片づけって、頭脳労働。勉強を含め、生活のいろんなところに応用されます

阿部川キネコ
整理収納アドバイザー・マンガ家

2018年に整理収納アドバイザー1級を取得。ウェブサイト「超!アニメディア」で、みけたちにゃんころの4コママンガ『にゃんコレ』を2018年8月～2020年7月まで連載。代表作『辣韮(らっきょう)の皮～萌えろ！ 杜の宮高校漫画研究部～』ほか多数。『薔薇王の葬列』（著：菅野 文）のスピンオフ作品『キング・オブ・アイドル 薔薇王の学園』を「月刊プリンセス」にて連載中（2021年2月現在）。

今の親の敵は、ゲームとスマホ。
収納場所で管理ではなく、
時間で管理を

のは、お子さんの望みや生活と合っていない片づけルールを、おうちの方が決めている場合です。

前のページのマンガにあった、子ども部屋を玄関のそばに移したら、ランドセルを持っていくようになった例ですね。

はい。こんなケースもありました。あるご家庭に行った時、お子さんが「自分はトロフィーを捨てたい。あれは先生に言われた通りに作った不本意な作品にもらった賞品で、自分が作りたかった物ではないので嫌な思い出の品だ。見るたびにその時のことを思い出す」と言うんです。図工で作った造形作品が賞を取り、親御さんはそれがうれしくて、子ども部屋の目立つところにトロフィーを飾っていました。皆さんならどうしますか？　捨てますか？　私は理由を話して「捨てるか、お子さんの目につかない場所で、親御さんの宝物として置いてください」とお伝えしたのですが、とても驚いていらっしゃいましたね。

おうちの方が「こうしてほしい」と思っても、それは親の思いや願いであって、その子の思いや願いではないんですね。子どもは自分がやりたいと思わないと動きませんから、子どもに自分の部屋を片づけてほしいなら、その子の思いや願いが反映された居心地のいい部屋にすることがポイントだと思います。

私、部屋はその人の個性の表れだと思うんです。よく「玄関を見ればその家のことがわかる」と言われるでしょう？　乱雑に靴がちらばっていれば、他の部屋も大抵そう。ご家族の暮ら

南美佳
整理収納アドバイザー

整理収納アドバイザー1級・ライフオーガナイザー2級・環境カオリスタ・アロマテラピー検定1級など、各種資格を取得。下の子の入園を機に、整理収納アドバイザーとして家事代行サービスを始め、以来、整理収納やそうじなどの作業実績は4000時間を超える。

しぶりも伝わってきます。皆さんもお子さんの部屋を見て、お子さんの個性が出ているか、ちょっと振り返ってみてください。もし、「なんかちがうな」と感じたら、ぜひお子さんといっしょに部屋について話し合って、お子さんの「こだわり」と「好き」を重視した新たな片づけルールを決めていくようにしてほしいですね。

第三者が言うと子どもは心を開く。一歩引いて見守って

その ルール作りの際、ポイントになるのが「子どもが決めたルールに口をはさまない」ということ。これ、難しいんですが(笑)。

「部屋を片づけなさい。いらない物を捨てなさい」と言われたので、テストを全部捨てた。着心地が悪くて着ないTシャツも捨てた。すると、親御さんが捨てた物を拾ってくるわけです。「まだ着られるのにもったいない」「テストは見返す時、必要でしょ?」それで子どもは「ああ、捨てるかどうかを決めるのは、自分じゃなくて親なんだ」と思ってしまう。そうなると、物に愛着もなくなります。だって他人事ですから。

「自分の部屋」だと子ども自身が思えるような部屋であることが大事で、そのためにも最初のルール作りがとても大切なんですよね。

その時オススメなのが第三者を入れること。私、いつも最初にルールを作る時「お子さんとふたりにしてください」とお願いするんです。おうちの方

の前だと本音が言えないこともあります。でも知らないおばちゃんになら素直に話してくれますから（笑）。私たちの役割ってそういうところかな、とも思うんです。皆さんもいきなりお子さんと向き合うのではなく、第三者を通じてお子さんに、「あなたの意見は？」と聞くようにするといいのではと思います。

「おかあさんのモヤモヤ」解消が片づけのカギ

片づけって、いくら表面的にきれいになったように見えても、根本的な問題を解決しないと同じことがまた起きてくるんです。

根本的な問題って、何でしょう？

「おかあさんが困っている」ことです。今はご夫婦で家事を分担するご家庭が多いと思いますが、まだまだ母親の負担が大きいのではないでしょうか。家事をやる上で、おかあさんが何かモヤモヤしているのであれば、これを解決しないと片づけの悩みは解消されません。

「子どもが片づけない」という問題も、実は悩んでいるのはおうちの方。子ども自身はなんにも思っていないんです（笑）。

私、モヤモヤは家の中を見直すいいチャンスだと思うんです。「何が引っかかっているんだろう？」「どうしたらいいんだろう？」とモヤモヤの原因を自分自身に問いかけてみる。それを一つずつ解消していくと、家族みんなにとって居心地のいい家になっていくと思いますよ。

「これ、やりなさい」の前にまずこの本を読んで!! おうちの方の片づけニガテ意識も解消できます

前のページでお伝えしたように、子どもの片づけの悩みは、実はおうちの方の片づけがニガテだという意識からきているケースが多いです。ご自分がよくわからないので、お子さんに教えられないんですね。

そういう方はこの本をお読みいただいて(笑)。小学生のお子さんでもできるように作りましたが、片づけは子どもも大人も、場所もアイテムもやり方はみんな同じ。「全だわし」これだけです。ですからお子さんに渡す前にご自分でまずこの本に目を通していただいてから、「はい」と。いっしょにお子さんとトライしていただければ、片づけがニガテという悩みも解消されると思いますよ。

「何歳から片づけはできますか?」と聞かれるのですが、教えれば3、4歳の子でも上手にできます。幼稚園や保育園がお手本です。みんな、遊んだ物とか上手に片づけているでしょう? イラストや写真をはって、どこにしまうかをわかるように示しているからなんですね。下の子が生まれる、親が単身赴任になったなど、家族は時とともにライフスタイルが変化します。その変化に合わせて、まだ小さいからと思わず、家族全員で片づけに挑戦してみてください。「片づけ術」は一生の財産になります。

エピローグ マンガ

新たなお悩みだにゃ！

小学生実用BOOKS
5分でわかる片づけ術

2021年3月2日　第１刷発行

企画制作　チームにゃんころ
キャラクター原案　はっとりみどり
マンガ　阿部川キネコ
監修　南　美佳
阿部川キネコ
シリーズ監修　上條正義
菅原　徹
装丁・本文デザイン　今井悦子（MET）
編集協力　株式会社興味しんしん
イラスト　はっとりみどり　橘 皆無　真琴　品田和香
撮影　斉藤秀明
校閲　株式会社草樹社
編集協力　松本裕希
協力　つばさ高等学院

発行人　小方桂子
編集人　芳賀靖彦
企画編集　安藤都朗
発行所　株式会社学研プラス
〒141-8415　東京都品川区西五反田2 -11-8
印刷所　大日本印刷株式会社
製本所　株式会社難波製本

●お客様へ
【この本に関する各種お問い合わせ先】
○本の内容については、下記サイトのお問い合わせフォームよりお願いします。
https://gakken-plus.co.jp/contact/
○在庫については　Tel 03-6431-1197（販売部）
○不良品（落丁、乱丁）については　Tel 0570-000577　学研業務センター
〒354-0045 埼玉県入間郡三芳町上富279-1
○上記以外のお問い合わせは　Tel 0570-056-710（学研グループ総合案内）

シリーズ監修

上條正義
（かみじょう　まさよし）
＝『微笑問題』ワクワクのジョー

信州大学繊維学部先進繊維・感性工学科教授。専門研究分野は感性工学。ワクワクしている状態を相手に伝える評価尺度を作り快適な生活につなげる技術を研究中。
http://www.shinshu-u.ac.jp/faculty/textiles/

菅原　徹
（すがはら　とおる）
＝『微笑問題』ニコニコのトール

スマイルサイエンス学会（SSS）代表理事。早稲田大学人間総合研究センター招聘研究員。東洋大学非常勤講師。笑顔研究の第一人者。グリコの「スキパニスマイル」監修他、多方面で活躍中。
https://www.kanseismile.com/

キャラクター原案
＆7章収納グッズデザイン・制作

はっとり みどり

羊毛フェルト・クレイ普及協会理事。㈱サンリオ勤務後独立し、㈲ポッシュベール設立。羊毛フェルトキットや書籍など多方面でオリジナルキャラ『にゃんころ』を展開中。本書もその一つ。
https://www.pochevert.co.jp/